DIVA ONLINE

DIVA ONLINE

Lele Pons

CON MELISSA DE LA CRUZ

Traducción de Patricia Valero Mous

CROSS BOOKS

Obra editada en colaboración con Editorial Planeta – España

Título original: *Surviving High School*

© 2016, Lele Pons, por el texto
© 2017, Patricia Valero Mous, por la traducción

Diseño de portada: Chelsea McGuckin
Fotografías de portada: Koury Angelo
Estilismo: Jesse Montana
Fotografía de Melissa de la Cruz: Denise Bovee

© 2017, Editorial Planeta, S.A. – Barcelona, España

Derechos reservados

© 2017, Editorial Planeta Mexicana, S.A. de C.V.
Bajo el sello editorial DESTINO M.R.
Avenida Presidente Masarik núm. 111, Piso 2
Colonia Polanco V Sección
Deleg. Miguel Hidalgo
C.P. 11560, Ciudad de México
www.planetadelibros.com.mx

Primera edición impresa en España: marzo de 2017
ISBN: 978-84-08-16925-3

Primera edición impresa en México: mayo de 2017
ISBN: 978-607-07-4036-7

Impreso en los talleres de Litográfica Ingramex, S.A. de C.V.
Centeno núm. 162-1, colonia Granjas Esmeralda, Ciudad de México
Impreso en México – *Printed in Mexico*

Una nota sobre este libro

Esta es una novela y el personaje de Lele Pons está basado en la Lele Pons real (aunque no es exactamente ella); escribimos las historias del libro inspirándonos en la vida de Lele y en sus Vines (pero es todo inventado).

Estas no son unas memorias.

Son unas memorias de ficción, si es que tal cosa existe.

Y ¿por qué no?

Lele Pons y Melissa de la Cruz

Lele
Para mis fans

Melissa
Para Mike y Mattie, siempre

#CEROALAIZQUIERDA

De septiembre a diciembre

PRÓLOGO

A mis adorables y preciosos lectores. Antes de contarles la historia de cómo me hice la solemne promesa de sobrevivir al colegio, me gustaría hablarles de algo muy importante para mí y que llevo muy dentro del corazón.

A ver, cada ser humano (y la mayoría de animales, creo) tienen su esencia única y personal, una esencia que se compone de unas cualidades muy enraizadas que los hacen quienes son. Los filósofos de la Antigua Grecia se referían a ella como «alma», pero yo no soy ni filósofa, ni antigua, ni griega, sino una adolescente, así que la voy a llamar «Leledad». Por supuesto, no hace falta que ustedes la llamen igual, le pueden poner «Saradad» o «Sergiodad», dependiendo de cómo se llamen.

Lo que quiero decir es que: creo que esa «tuidad» es algo muy especial, seas quien seas, y debería dársele importancia. Así que ahora les voy a contar cómo acabé convirtiéndome en la verdadera Lele, una persona a la que quiero, para bien y para mal.

Está claro que parte de tu esencia viene contigo al mundo en el momento en el que naces, pero es lo que pasa después lo que empieza a configurarte para que te conviertas realmente en ti mismo. Yo nací en Caracas, una gran urbe venezolana, pero muy pronto me mudé al campo, donde —qué locura— vivía en un granero. ¿Pueden creerlo? Imagínenselo: la pequeña Lele corriendo descalza por campos de maíz a kilómetros de la civilización. No tenía perros ni gatos como mascotas: mis amigos más amigos eran cachorros de tigre y monos. Durante toda mi infancia viví sin conocer ni de lejos lo que eran un centro comercial o (¡enloquezcan!) internet. Lo único que tenía para entretenerme era la naturaleza: observar aves, recoger moras y, lo mejor, contemplar las estrellas.

Desde que tengo uso de razón, el lenguaje siempre me ha costado muchísimo. De pequeña, las palabras no me salían, así que utilizaba mi cuerpo para comunicarme. Me parecía mucho más natural expresarme de esa forma. Me sentía muy a gusto dibujando mis pensamientos y sentimientos en lugar de verbalizarlos, así que a menudo dibujaba cómics —a veces hasta de ocho páginas— para explicarles a mis padres o a mis profesores lo que quería. Todo el mundo tiene sus puntos fuertes y sus puntos débiles: para mí, el arte y el movimiento eran fortalezas, mientras que hablar y las palabras eran debilidades.

Ahora tomen todo eso y añádanle que emigramos a Estados Unidos y se encontrarán con un desastre en potencia entre manos. No sabía nada de la cultura estadounidense, y mis diferencias me paralizaban y aterrorizaban. Para conseguir un poco de consuelo y paz mental, me decidí por el entretenimiento. Vi que conseguía encajar entre mis compañeros cuando me mostraba dramática y graciosa. Me di cuenta de que sabía cómo hacer reír a la gente, así que me aferré a ello como si fuera una balsa a mitad del mar durante la época más confusa y extraña de mi vida.

Creo que fueron tanto mi infancia en un entorno salvaje como mis desventajas verbales las que me convirtieron en la actriz y el personaje sin igual, rarita pero con un corazón de oro, que soy hoy. No siempre es fácil ser Lele, pero cada mañana cuando me levanto me digo: «¡Vamos por todo!», y es esta actitud la que me ha llevado a realizar este viaje tan alucinante.

Los animo a que piensen en los acontecimientos vitales y las circunstancias que los han convertido realmente en USTEDES, y a que celebren cada parte de su ser —lo fuerte, lo débil, lo bueno, lo feo y lo malo—, porque cada una de ellas contribuye a hacerlos especiales e INCREÍBLES. Créanme.

Así que esta es la historia de cómo desarrollé mi esencia Lele. Lo que sigue es el relato en el que narro cómo conseguí sobrevivir a mi primer año en el colegio en Miami y cómo acabé compartiendo mi mensaje con casi diez millones de seguidores. ¡Espero que se diviertan leyéndolo!

Lele

1

¡Uf! ¡Qué buen ojo morado traes, amiga!
(0 SEGUIDORES)

*L*o primero que deben saber sobre mí es que no siempre fui la rubia súper atractiva, sexy y *cool* que soy hoy. Ya, ya lo sé, están en *shock*. Pero la verdad es que no hace tanto era una especie de pulpo en un garaje, o sea, fuera de lugar, que llevaba *brackets* y ropa de la temporada anterior dos tallas más grande. «¡Imposible! ¡Inaudito! —me los imagino exclamando—. Lele siempre ha sido *perfecta*». Bueno, sí, en eso tienen razón, siempre he sido perfecta, pero eso es otra historia que vamos a dejar para otro momento. Déjenme ahora que los lleve hacia atrás en el tiempo hasta los días oscuros para que vean que mi lucha era profunda y muy real.

Tengo dieciséis años y es mi primer día en el colegio Miami High. Los pasillos son muy largos y la cantidad de alumnos... intimida. Verán, mi última escuela (la escuela para chicas St. Anne's) era pequeña —casi podríamos decir que era acogedora, íntima—. Ah, claro, y católica. Vengo de una pequeña escuela católica y de una familia católica; hasta hoy todo lo que he conocido son las dulces y familiares caras de los mismos veinte niños con los que crecí, más todo lo que han pasado en Disney Channel (#tbt *El diario de la princesa*, #peliculón).

Mis padres, Anna y Louis Pons, decidieron, de golpe y muy injustamente, que sería mejor que acudiera a una preparatoria más grande para conocer a gente, expandir mis horizontes y blablablá, antes de ir a la universidad. ¿Es que nadie les dijo que podías ir a la universidad aunque hubieras ido a un colegio enano siempre que tuvieras una mínima presencia en internet? Bienvenidos al siglo XXI, queridos padres, por favor, tomen asiento.

A ver, no lo digo en serio, es solo que a veces la ironía me domina. Es cierto que la universidad es muy importante, pero ¿es para mí? Yo lo que quiero es convertirme en actriz, y me impacientaría mucho tener que posponer eso durante cuatro años nada más y nada menos, así que no lo tengo claro. Estoy lista para enseñarle al mundo mi talento; estoy lista para tomar el toro por los cuernos y bailar al ritmo del jazz.

Pero bueno, soy una chica católica obediente y respeto los deseos de mis padres (hago lo que puedo, ¿okey?), y así es como llegué hasta aquí, al primer día en el colegio Miami High, epicentro de chicas guapas y de algunos de los tipos más increíblemente buenorros que he visto en mi vida.

Me levanto tarde (para variar) y fracaso a la hora de conseguir el *look* que había planeado para mi primer día. La blusa blanca con olanes, los *shorts* negros y las botas hasta la rodilla que Rihanna llevaba como si nada me hacen parecer poco o nada una estrella del pop y mucho un pirata. Pero pienso: «¡Bah! YOLO, ¿no?» y me voy derecha a la preparatoria Hombres Guapos disfrazada de Jack Sparrow. (Ya sé que YOLO está pasadísimo de moda, pero bueno, es que ¡solo se vive una vez! Je, je).

Lo primero es lo primero: mi horario. Una señora que parece una vieja papa con lentes y pintalabios mal aplicado me lo da en recepción.

—Bienvenida al colegio Miami High —me dice entre dientes, como si antes que abrir la boca para pronunciar dichas palabras prefiriera la muerte.

Huele a caramelos de fresa y a ajo, y esa combinación es un poco *too much* para esas horas de la mañana, si les soy sincera. En fin, ahí va mi itinerario educativo para los próximos diez meses:

1.ª hora: Inglés
2.ª hora: Historia mundial
3.ª hora: Cálculo
4.ª hora: Eduación física
5.ª hora: Biología marina
6.ª hora: Español

Desde ya, veo que no encajo ni a golpes por aquí, y por cómo me mira la gente, deben de pensar lo mismo. Ya saben a lo que me refiero: esas miradas matadoras que les encanta lanzar a los adolescentes que significan «¿quién demonios es esa?». Durante la primera hora, en clase de inglés, un chico con el pelo de punta tira una bola de papel arrugado que rebota en mi cabeza. En la segunda hora, historia mundial, otro chico, este lleva una gorra de béisbol al revés, me grita:

—¡Oye! ¿Por qué hablas tan raro?

Cuando le explico que tengo acento venezolano, me responde:

—Pues lo que parece es que no sabes hablar.

—Es que soy de Caracas.

—¿De dónde?

—De Caracas, Venezuela. País limítrofe con Colombia, Brasil y Guyana que se encuentra a 2 591 kilómetros de aquí.

—¡Maldita *nerd*! —murmura a otro montón de chicos con la misma cara de burla y llena de granos, y todos se echan a reír y me señalan con la cabeza.

En la tercera hora, cálculo, una chica pelirroja con lentes se acerca para decirme:

—Aquí la gente viste un poco más... discreta. Para que lo sepas. Para mañana.

Y luego se escabulle de nuevo para unirse a su grupito. Todo el mundo tiene una pandilla. Menos yo. Suspiro. «¡Vamos por el primer año!», pienso para mis adentros, y luego ahogo mis penas en una Pepsi fría como el hielo.

Tras la tercera clase viene la hora de la comida. A ver, lector, no sé si has estado alguna vez en una cafetería escolar, pero déjame que te cuente cómo va el asunto: es uno de los lugares más terroríficos del planeta Tierra. En serio, merecerían su propia temporada en la serie *American Horror Story*. Lector, por favor, concédeme el honor de describirte el elenco de atrocidades presentes en la cafetería del Miami High:

- Las señoras del comedor: Mujeres malas y ceñudas que parecen odiar su vida y nos odian a nosotros por existir. Una, con una plaquita con su nombre en la que dice «Iris», me echa bronca por no tener el dinero listo a la hora de pagar. Luego por no haberlo transferido a una tarjeta que según parece es la que se usa normalmente en las asquerosas cafeterías de los colegios.

- Redecillas: Las señoras que trabajan en el comedor llevan unas redecillas sudadas y grasientas que me recuerdan a las redes de pesca: no puedo mirarles la cabeza sin imaginarme peces aleteando en una lucha desesperada por mantenerse con vida. Mi apetito = muerto.

- Comida intragable: La comida es criminal. En realidad, y lo digo muy en serio, no tengo ni idea de lo que es. Es como una montañita de unicel cubierta con salsa grasienta y con pedazos de algo que podría ser pollo o no. Viene con un postre de mandarina que son solo trocitos de fruta flotando en jarabe de maíz.

- Ambiente: Huele mal; hay mucho ruido; no hay suficiente oxígeno para todos.

- Alumnos: Nunca verán a tantos chicos de colegio congregados en ningún lugar como en la cafetería. Si han visto *Chicas pesadas* ya sabrán lo de las diferentes tribus (enfermos sexuales, niños ricos, chicas que se comen sus sentimientos, asiáticos *cool*, etc.), pero en el Miami High no existe tal cosa. Todo el mundo está mezclado, cada tribu infringe el espacio personal de la tribu inmediatamente adyacente, así que no sabes dónde empiezan los *nerds* y acaban los deportistas. Las administraciones escolares jamás serán capaces de eliminar del todo las tribus, pero pueden obligarlos a sentarse juntos, y este es el resultado de dicha pesadilla. A diferencia de en *Chicas pesadas* y en *Todas las Películas Sobre Colegios Jamás Filmadas* en las que la protagonista principal suele ser la nueva que no sabe dónde sentarse porque ninguna tribu la quiere en su mesa, yo no puedo sentarme en ningún lado porque *no hay lugar*, literalmente. Incluso si alguna tribu decidiera adoptarme, tendría que sentarme en el regazo de alguien. En serio, esto es un zoológico.

Sin lugar donde comer y ningún deseo de comer esta comida, tiro la bandeja de cartón a la basura y me apresuro a salir a tomar aire antes de que me dé un ataque de pánico o acuchille a alguien por accidente por culpa del miedo y de la confusión. Me acomodo en el exterior con la espalda apoyada en la pared y cuento los minutos hasta que acabe esta locura. Pero claro, por más que fijes la mirada en una olla llena de agua, esta no va a hervir más rápido, así que la espera se hace eterna. Una mujer de aspecto muy profesional, con saco azul marino, tacones de charol y un corte de pelo a la Hillary Clinton, pasa apretando el botón de un control remoto como si fuera a hacer estallar una bomba. Al verme, se para de golpe.

—Perdona, pero ¿por qué estamos fuera? —pregunta, y suena vengativa y sedienta, como si estuviera dispuesta a beberse mi sangre.

—Pues... no sé por qué está usted fuera, pero yo salí porque ahí dentro no podía respirar.

—Eso no importa, ya conoces las reglas. Los alumnos no pueden estar fuera de la cafetería durante la hora de comer.

—Ah, bueno, es que es mi primer día, no lo sabía.

—Pues ahora ya lo sabes. Vuelve a entrar o tendré que acusarte con alguna autoridad.

—¿Autoridad? ¿Como en la cárcel? Preferiría no tener que volver a entrar.

—Mira, no sé cómo eran las cosas en tu antigua escuela, pero en el colegio Miami High no hacemos excepciones. Si te trato a ti como a una princesa tendré que tratar a todo el mundo como a una princesa. Así que te va a tocar entrar y comer adentro como todos.

—¿Tomar un poco de aire fresco es pedir que me traten como a una princesa?

—Por favor, no te hagas la lista conmigo, no he acusado a nadie hoy y no quiero empezar ahora.

—Dios santo... —En este momento estoy a punto de echarme a reír: la absurdidad de esta mujer y de la situación son demasiado para mi *body*—. Supongo que tendré que iniciar una revolución.

—No hace falta que te pongas tan dramática. Pasa por la recepción al finalizar las clases y pide un formulario para salir del campus. Si tus padres lo firman podrás comer fuera del colegio. No hace falta que comas en la cafetería, pero entonces a la hora de la comida no podrás estar en el campus. Es por tu seguridad.

—¡Gracias! Me alegro de no haber tenido que hacer nada drástico.

Se enoja y se aleja taconeando, la cabeza adelantada respecto al resto del cuerpo como si fuera a cruzar la línea de meta de una carrera. Me admira esa determinación tan psicótica.

Suena la campana y me doy cuenta de que nunca me había hecho tanta ilusión volver a clase. Veo a una chica negra de rostro amable, cabello trenzado y gafas, indudablemente *nerd*, que regresa caminando al campus.

—Oye —le digo—, ¿sales del campus a la hora de comer?

—¡Pues claro! Si tuviera que comer ahí cada día me daría algo —responde señalando la cafetería.

—Es asquerosa, ¿no? Pensaba que era solo mi imaginación.

—Ni al caso, no te equivocas.

—Pues debe de ser la primera vez en la vida. Soy Lele Pons.

—Darcy Smith. Encantada. Asegúrate de pedir un pase para salir hoy mismo; te ves como una persona agradable y no me gustaría que acabaran devorándote en esa boca de lobo.

Nota mental: conseguir un pase o morir.

Nota mental: no me gusta este colegio.

La cuarta hora toca educación física. La entrenadora Washington es una mujer que parece un armario, con el pelo cortado como hombre y dos dientes de plata. Ah, y le falta el dedo meñique de la mano izquierda. Nos reparte unos uniformes fluorescentes muy feos y nos envía a los vestidores, donde se supone que debemos desnudarnos las unas delante de las otras. Ya. Claro. Como soy católica, me da un poco de vergüenza e intento ser tan discreta como puedo. Ni siquiera sé cómo se llaman mis compañeras, así que prefiero que la primera impresión que se lleven de mí no sea el sujetador deportivo Nike de color beige que llevo. Pero es demasiado tarde. Una morena con curvas pero esbelta, de enormes ojos entre verdes y castaños y unas pestañas enormes, me vislumbra entre el resto y, notando mi timidez, me espeta:

—¡Oye, tú, nueva! Creo que mi abuela usa el mismo brasier.

—¡Felicidades por conocer tan bien la ropa interior de tu abuela! —le suelto de inmediato y sin pensar.

El vestidor se queda en silencio y Ojos Brillantes levanta la ceja de un modo que me hace morirme de miedo un poquito. ¿Se me ocurrió meterme con la *bully* del lugar? Cierra la puerta de su casillero deliberadamente despacio, como si me estuviera enviando una señal de peligro, luego se arregla el pelo y sale por la puerta.

—Tu madre llevaba este brasier anoche —murmuro para mí misma y para las pocas que me siguen escuchando. Genial, Lele, la primera en la frente. Eres lo máximo.

En la cancha, la entrenadora Washington pasa lista y me entero de que Ojos Brillantes se llama en realidad Yvette Amparo. Washington pronuncia mi nombre: «Lili», y no me queda más remedio que corregirla. Esta es la segunda cosa que deberían saber sobre mí: me hierve la sangre cuando la gente me llama Lili. ¿Es que no saben leer o qué? Es Le-le. Como en la canción de Rihanna: *you can stand under my umbrella, ella, ella, eh, eh, eh*, si a esos *eh* le añadieses una l: *you can stand under my umbrella, ella, ella, Le-le, Le-le*. Es una buena forma de acordarse de cómo se pronuncia. Intento explicarle todo esto a la entrenadora, pero pronto pierde la paciencia y me ignora.

Debo decirles que el futbol americano me parece un deporte un poco brusco para el primer día. ¿No podríamos centrarnos en algo más tranquilo y menos de contacto, como hacer lagartijas? Parece ser que no. Parece ser que los profesores de educación física de los grandes centros educativos públicos adoran torturar a sus alumnos. Tan pronto como la entrenadora Washington nos pone a Yvette y a mí en equipos opuestos sé que voy a tener que *tacklearla*. Aquí viene la tercera cosa que deben saber sobre mí: soy una persona muy física. No digo que no sea lista, solo que prefiero utilizar mi cuerpo para resolver cualquier conflicto. Salir a correr, bailar sola, golpear a alguien si hace falta. He visto la forma en que los chicos resuelven sus discrepancias: un poco de jalones y todo queda en el pasado. Son como leones. Pero nosotras, las chicas, por lo que sea, debemos hablar para resolver las cosas como señoritas. ¡Qué fastido!

En fin, salimos a la cancha y estoy a *full*. De repente, siento que si no gano este partido, mi primer día habrá sido un fracaso absoluto. Sin embargo, si gano, seré mi propia heroína y triunfaré sobre el sentimiento de estar fuera de lugar que lleva invadiéndome desde esta mañana. Washington toca el silbato y yo echo a correr y salto y pateo el balón con tanto entusiasmo por todo el campo que se me olvida que no tengo ni la más remota idea de cómo se juega el futbol americano. Ups. Tras el subidón de adrenalina soy capaz de ver que alguien le pasa a Yvette el balón y corro hacia ella. A lo mejor no debería, a lo mejor está mal, pero me lanzo en plancha sobre ella y la pobre y esquelética Yvette acaba en el suelo. Aunque no se da por vencida. Opone resistencia y rodamos por el suelo hasta que, ¡CLONC!, su cráneo choca contra mi frente con la fuerza de una bola de boliche. Me muerdo el labio para no gritar. Veo estrellitas a mi alrededor como en las caricaturas y oigo que la entrenadora hace sonar su estúpido silbato.

—Okey, okey, ¡tiempo fuera! A ver ¿qué pasa aquí? —pregunta poniendo las manos en forma de «T» como hacen en basquetbol.

—¡Lili me atacó!

—No te ataqué, te tackleé. Es lo que se hace en futbol americano, que es lo que se supone que estamos jugando.

Me llevo la mano al ojo derecho, que me noto ya amoratado. Yvette sigue quejándose y la entrenadora me obliga a sentarme, así que yo también me quejo, apartada en un rincón, enojada con Yvette y con la entrenadora Washington y con el chico que me tiró una bola de papel a la cabeza y con los estúpidos de mis padres por hacerme venir a este lugar tan horrible.

Para cuando me cambio y me pongo la ropa normal (o sea, de pirata), tengo el ojo tan hinchado que no lo puedo abrir. ¡La muy perra me dejó el ojo morado!

—Sabes que pareces un pirata, ¿no? —se burla Yvette, y sale del vestidor dando saltitos.

—¡Arrr! —le grito. Me gustaría hacerla caminar por la plancha y empujarla al mar.

En casa, mis padres me hacen la típica pregunta horrorosa que todos los chicos y chicas odiamos, la que suena como unas uñas arañando una pizarra:

—¿Cómo te fue en la escuela?

—Bien —respondo. Pero luego cambio de opinión, mi mente de repente se ve invadida por una ola de honestidad—. En realidad, estuvo espantoso. El colegio es enorme y todo el mundo se cree muy *cool*.

—Ay, Lele —mi madre al menos pronuncia bien mi nombre, todo un consuelo, aunque en estos momentos, no muy grande—, seguro que tú eres la más *cool* de todas.

—Gracias, mamá, a ver si me acuerdo de decirles a todos que mi mami cree que soy la más *cool*. Me va a ayudar un montón.

Me voy a mi cuarto y caigo rendida en la cama, le gruño a la almohada y pataleo un rato para conseguir un efecto más dramático. Tras esta escenita de autocompasión, decido que ya sufrí suficiente por un día. Es hora de hacerle caso a Taylor Swift y de ser libre, como Elsa.

Es hora de viajar hasta mi lugar favorito, en el que soy feliz: Vine. En *Breakfast at Tiffany's*, Audrey Hepburn decía que nada demasiado terrible podía suceder en Tiffany's, y estoy totalmente de acuerdo con ella. Nada demasiado terrible puede suceder en Vine, al menos a mí. Vine es el único lugar en el que me siento intocable. Entro a mi cuenta y escribo el título de mi Vine de esta noche: *Las ventajas de ser un chico*.

2

Las ventajas de ser un chico (2 000 SEGUIDORES)

*D*éjenme que retroceda un poco. Se preguntarán qué es esto de Vine. O, bueno, a lo mejor nadie lo tiene que preguntar a estas alturas. Pero la verdad es que yo lo pregunté una vez. No solo era una *loser* total, encima era virgen en todo lo que concernía a las redes sociales. Y ya nadie lo era. O sea, corría el año 2011 y yo todavía no tenía Facebook. Ni celular. No era una chica de ciudad. Y a veces me daba la sensación de que no era ni del planeta Tierra. En realidad a veces sigo sintiéndome un poco así. Pero volvamos a las redes sociales: para mí nunca tuvieron sentido. No me parecía atractivo acaparar amigos falsos como quien colecciona cartas de Pokémon y ver todas las cosas geniales que habían hecho ese fin de semana.

¿Estoy loca o la vida es más que eso?

Pero entonces, Lucy, una de mis mejores amigas del St. Anne's, me enseñó su cuenta de Vine y conectamos al instante. Era la primera red social que parecía contener modos de expresión genuinos y no solo una ciega y desesperada necesidad de aceptación social. Era mucho más.

Vine no era solamente un vehículo para expresarme, era la vía de escape que llevaba esperando toda la vida. Desde que tengo memoria, siempre que me costaba explicar algo con palabras, utilizaba imágenes. Usaba la comunicación física. Cuando descubrí Vine, encontré el medio a través del cual podría comunicarme por completo con el mundo que me rodeaba, compartir mis pensamientos y preocupaciones con cualquiera que quisiera escucharlos. Al fin había encontrado mi voz, y me enganché.

No buscaba crear una red de seguidores. De verdad, ¡ni se me ocurrió! Pero las chicas del St. Anne's pensaron que mis videos eran divertidos y empezaron a apoyarme desde el principio. Muy pronto me hice famosa en mi escuela, lo que significa que de los mil alumnos, ¡todos me seguían! Siempre me preguntan cómo sucedió y me gustaría recalcar que no se trataba de nada especial: a la gente le gusta la sinceridad, y a mí no me daba vergüenza ser sincera. Así de simple.

Volvemos al Miami High. Nadie me conoce, a nadie parece gustarle mi sentido del humor ni mi sinceridad ni mi especial forma de ser, porque enseguida me tacharon de *freak*. ¿Me habrían marginado igual, y juzgado tan rápido, si fuera hombre?

No me malentiendan. A mí me gusta ser una chica. Me gusta mi pelo rubio, largo y grueso, y ponerme vestidos glamurosos en ocasiones especiales. Pero ser una chica tiene un precio. Bueno, muchos. Ser una chica significa tener que dedicar tiempo a tus *looks*, tener que llevar brasier (súper incómodo), tener que hacer pipí sentada (muy aparatoso) y, por último, significa que un día podrías tener que empujar a un humano del tamaño de una bola de boliche de tu interior y llamar al asunto el milagro de la vida, si es que quieres hacerlo. Milagro, milagro, no sé, ¡a mí me suena más bien a pesadilla!

Para mí, en mi segunda mañana como la marginada del Miami High, ser una chica significa tener que levantarme tres horas antes para conseguir un *look* rudo. Es decir, fabuloso. Así que pongo el despertador a las cinco de la mañana (¡brutal!), pero le doy al botón de posponer unas doscientas veces y acabo durmiendo hasta las siete y media, con lo que solo tengo media hora para vestirme y llegar al colegio. Si sabes lo que se tarda en conseguir un *look* fabuloso entenderás que con media hora no hay ni para crear un *look*, y mucho menos fabuloso.

Así que me enfundo mis *jeans* y mi polo blanca para intentar pasar desapercibida. Un par de Converse del mismo color, soy el ejemplo de la sencillez, me ayudarán a mantenerme fuera del radar. Consigo vestirme sin contratiempos, pero justo entonces el día se desmadra por primera vez (las 7:45 es una hora tan buena como cualquier otra para complicarse la vida): mi pelo. Ay, Dios, mi pelo. Tengo el pelo muy muy muy muy largo. Si fuera un poco más largo sería Rapunzel, lo prometo. Y sí, el pelo largo y rubio suena bien, incluso puede que suene envidiable, pero nada de eso, es infernal. No importa lo que haga, me levanto con pelos de loca, con nudos y enredos y rizos y todo encrespado. Es una batalla diaria que debo librar, como el bien contra el mal, yo con mi peine desenfundado para domar un mar de pelo como quien intenta entrenar a su dragón. Tan pronto consigo alisar y desenredar los miles de nudos, un grupúsculo de resistentes reaparece, negándose a quedarse en su lugar, rechazando el *statu quo* de mi melena, rebelándose contra el opresor, yendo contra corriente como un montón de hippies quejumbrosos. A veces creo que debería raparme la cabeza y listo.

Los chicos no tienen este problema. Los chicos se pasan una mano por el pelo y ya están. Por eso son el enemigo. Porque su vida es demasiado fácil.

En el piso de abajo, mamá y papá me prepararon mi desayuno favorito: *waffles* con miel de maple natural de Vermont. Sí, suena a que me estoy haciendo la interesante, pero es que no hay nada mejor. Ya sé que me quejo de mis padres, pero la verdad es que no son los peores del mundo. Cómo iban a serlo si llevan preparándome *waffles* cada día desde que tenía cinco años. La leyenda dice que cuando nos mudamos de Venezuela yo la añoraba tanto que lo único que me animaba eran estos *waffles* congelados, así que se convirtió en una rutina mañanera diaria. No es la leyenda más emocionante del mundo mundial, pero es mi leyenda, así que déjenme en paz, ¿sí?

—Hoy te ves distinta, cariño —me dice papá cuando me siento a la mesa y tomo un bocado de mi *waffle* bañado de maple.

—Es que hoy no voy vestida de pirata —digo con la boca llena.

—Ah, debe de ser eso.

—Estás preciosa —dice mamá, llenándome el vaso de jugo de naranja.

—A mí me gustaba tu *look* de ayer —añade papá, sin que sus palabras sirvan de mucho—. Era creativo. Distinto. Espero que no dejes que este colegio aplaste tu personalidad.

—Bueno, si la aplasta será su culpa, porque fue idea de ustedes enviarme allí.

Acto seguido, mis padres intercambian su famosa mirada que significa «Esa es nuestra Lele», y ahí acaba la conversación.

Ocurre un milagro durante la primera clase, la de inglés: el señor Contreras nos presenta a un nuevo estudiante, Alexei Kuyper. Solo hay un modo de decirlo: Alexei está guapísimo. Ojos azules, pelo rubio que le cae desordenado sobre la frente brillante, abdominales ligeramente definidos bajo la camiseta blanca. Es el James Dean de la colegiala moderna. Un sueño. El señor Contreras le pide que nos hable un poco de sí mismo, como tuve que hacer yo en mi primer día, y lo hace sin esfuerzo, a diferencia de mí, que me limité a ponerme roja como un tomate.

—Hola, soy Alexei. Me acabo de mudar a Florida con mi familia.

—¿De dónde eres, Alexei? —pregunta alguien con entusiasmo.

—Soy de Bélgica. Nos mudamos hace unas semanas. Estoy contento de estar aquí. ¿Más preguntas? —La clase ríe con él, se los ha ganado. Maldito tipo con suerte. Tiene una sonrisa arrebatadora. Ay, Dios...

—Lele también es nueva —dice el señor Contreras, y noto cómo de inmediato se me ponen las orejas al rojo vivo—. Puedes sentarte con ella. Lele, levanta la mano, por favor, para que el señor Kuyper te vea.

Levanto la mano, segura de que parezco ya un babuino, y el guapísimo Alexei me encuentra de inmediato. Debe de ser muy listo el chico.

—Hola —le digo—. Encantada.

—Igualmente.

—¿Son los *waffles* tan buenos como dicen? —le pregunto.

—¿Qué? —No lo entiende. Ay, no. Ay, no...

—En Bélgica. Los *waffles* belgas. ¿No se supone que allí son súper ricos? A mí me encantan los *waffles*. —¿«A mí me encantan los *waffles*»? ¿En serio, Lele?

—Ah, sí —responde, y me ataca con esa sonrisa arrebatadora—, se supone que son los mejores, pero yo no suelo tomar *waffles*, si te soy sincero. Soy más de crepas.

—¿No comes *waflles*? ¿Qué eres, un psicópata?

—¿Y tú? ¿Eres una psicópata?

—Un poco.

—Yo también —me dice, y entonces no van a creer lo que hace: ¡ME GUIÑA EL OJO! Ambos sonreímos, y me parece que se me va a salir el corazón por la boca.

Al salir de clase me tropiezo con una mochila y me caigo encima de él, golpeándome el labio con su hombro. Su camiseta se queda enganchada en mis *brackets* y forcejeamos un poco para intentar despegarnos. Y ahí termina el momento mágico de flirteo iniciado en el párrafo anterior. Pero el chico se porta bien, me ayuda a levantarme y a liberarme, pero no lo suficientemente deprisa como para que el resto no lo vea.

—¡Qué risa! —le dice una chica a otra—. ¡La nueva esa es una torpe!

—Ya —dice la segunda—, ¡es un pato!

Cuando llego a mi casillero después de clases veo que pintaron unas letras rojas con espray que dicen: «CARNE FRESCA».

—¿En serio? —digo en voz alta a nadie en particular.

Estoy tan en *shock* que no sé si asustarme o atacarme de la risa. Por este tipo de cosas expulsan a la gente hoy en día. Todos lo hemos visto en la tele, ¿no? De reojo veo a un grupo de chicos y chicas riendo y señalándome.

—¡Bienvenida al Miami High, carne fresca! —me grita una chica de pelo rizado emitiendo una diabólica carcajada.

Por la forma en que lo dijo casi suena como una amenaza, como si esa no fuera a ser mi última paliza metafórica. Como si fuera mejor que anduviera con cuidado. ¿Quiénes son esos niños y por qué no tienen nada mejor que hacer? Supongo que siempre había creído que eso del *bullying* era algo ficticio inventado en las películas sobre colegios de los ochenta, no sabía que fueran tan malos en realidad. A ver, los alumnos del St. Anne's no eran perfectos, pero nunca así de malvados. Normalmente soy muy fan de un buen berrinche, pero no puedo dejar que estos idiotas me vean llorar, así que me trago las lágrimas y la frustración, y me mantengo erguida y haciendo ver que ni siento ni padezco.

Alexei se dirige hacia mí cuando intento embutir todos mis libros dentro del casillero pintado. Uno se cae y él me lo recoge. Es todo un caballero.

—Gracias —le digo—. Oye, ¿a ti también te pintaron esto? —le pregunto enseñándole la puerta del casillero.

—Uf, no. Qué malos.

—No lo entiendo. Tú también eres nuevo, ¿por qué no se meten contigo?

—Yo soy normal. Yo encajo. Los adolescentes son inseguros y se meten con los que son más diferentes a ellos. —Se encoge de hombros.

—No es justo.

—¿Estás diciendo que preferirías que se metieran conmigo?

—No... Solo digo que no sé qué les ha dado conmigo. Supongo que nunca había pensado que fuera tan diferente al resto. Y también creo que es porque preferiría no tener que pasar por esto sola.

—No eres tan diferente. Solo eres un espíritu libre. No te importa lo que diga la gente, y eso los pone nerviosos. Y no lo tienes que pasar sola. Yo estoy aquí. Te cubriré la espalda.

—Ah —digo intentando no sonrojarme, sin éxito—. Gracias.

—¿Dónde vives? —pregunta—. Si quieres te acompaño a casa.

¿Qué estamos en 1952? ¿En Caballerosidadlandia? ¿Dónde estoy? ¿Quién soy? ¿Por qué no siento las piernas? (¡Me encanta!).

—En Romero Street, son veinte minutos caminando.

—No me importa dar un paseo, llegamos ayer. —Su voz es un poco ronca y exótica. Suena como la brisa tropical, bueno, como si la brisa tropical tuviera sonido, vaya. Habla inglés perfectamente pero tiene ese ritmo distinto que le viene de ser extranjero, un puntito de inseguridad que lo hace terriblemente sexy.

—¿Ayer? Guau. Necesitas un paseo, sí. Podemos caminar, parece que estás en bastante buena forma. Quiero decir, en buena forma. Bueno, que parece que un paseo de veinte minutos no te va a matar. No me refería a que estuvieras bueno ni nada por el estilo.... —Una vez leí en *Cosmopolitan* un artículo sobre cómo ligar. Claramente no entendí nada.

—¿Entonces no te parece que esté bueno? —me pregunta.

Ay, Dios.

—No, no digo que no me parezca que estés bueno. Creo que... a ver, estás bien, ¿no? No te ves mal, o sea...

—Te estoy tomando el pelo, tarada. ¿Nos vamos ya? —me pregunta sonriendo. ¡Tarada! Si hasta me puso ya un apodo cariñoso... ¡Emoji de ojos de corazón! ¡Emoji de ojos de corazón!

¿Está pasando de verdad? Un chico me acompaña a casa. En mi segundo día de clase. A lo mejor no soy tan *loser* como parecía. Seguro que a la estúpida de Yvette Amparo no la acompaña ningún chico a casa hoy.

De camino, mantenemos una curiosa conversación, con su acento extranjero sexy y mis gorgoritos venezolanos. Hablamos de cosas súper profundas, como el episodio de la semana anterior de *Mira quién baila* y la Boda Roja de *Game of Thrones*. Es obvio que me comprende. Me pregunta acerca de mis sueños de futuro y le cuento que quiero ser una actriz famosa, pero que la idea de hacer castings delante de productores me genera ataques de pánico. Le pregunto acerca de sus sueños a futuro y me cuenta que quiere ser modelo o *surfer* profesional, y quizá también actor, pero si nada de eso funciona tal vez se haga médico.

Todo es absolutamente perfecto salvo por un pequeño detalle: tengo que hacer pipí con mucha urgencia. ¿Por qué me bebí un litro de Coca-Cola a última hora? Por cada golpe de cafeína hay que pagar un precio, está bien, lo entiendo. «En diez minutos estaré en casa, solo diez minutos. Vamos, Lele, tú puedes, ya casi llegas», me voy diciendo, pero noto que mi vejiga se estira como un globo de agua. Alexei habla de lo mucho que extraña Bélgica y se pregunta si alguna vez regresará allí, pero en lo único en lo que puedo pensar yo es en llegar a un baño, así que asiento y no paro de decir «mmm» y «ajá» como una idiota. Debe de pensar que soy imbécil. O una antipática. Continúo sonriendo y pestañeando como decían en el artículo de *Cosmo* que había que hacer, pero creo que si sigo así voy a parecer una loca. Y eso no es nada sexy.

¿Acaba de subir la temperatura ahora mismo o qué pasa? Ah, sí, una nube pasó y ahora tenemos el sol pegándonos directamente. Noto perlas de sudor acumulándose debajo del brasier y me preocupa que mis tetas estén a punto de ahogarse.

—¡Uf! ¡Qué calor hace hoy! —dice Alexei.

—¿Tú crees? Bueno, a lo mejor sí. —Me encojo de hombros como quien no quiere la cosa, pero por dentro me estoy asando.

Y entonces, porque este chico belga en realidad es un demonio y quiere torturarme, ¡se quita la camiseta! Esto es cruel por dos motivos: (1) estoy a punto de morir de un ataque al corazón y no puedo hacer nada al respecto, y (2) tiene los abdominales tan bien definidos que podría ser una estatua. Una preciosa y brillante estatua de bronce. Intento no mirarlos directamente por miedo a que me dejen ciega. Para añadir más leña al fuego, Alexei me da un golpecito en el hombro y me dice: «Ahora vuelvo, voy a hacer pipí», y luego se esconde detrás de un árbol.

Primero, me parece un poco fuera de lugar. ¿No sabe que está en presencia de una mujer *top*? Segundo, ¡no es justo! Estoy a segundos de reventar y este tipo en cambio puede pararse y hacer pipí tan pronto siente la necesidad.

A esto es a lo que me refería con lo de los chicos. Lo tienen todo mucho más fácil. Nunca conocerán el significado de la palabra incomodidad; nunca sabrán cómo sufrimos.

Cuando vuelve, sin camiseta y aliviado, casi brillando, el tipo tiene el valor de ¡chocarme los cinco! ¿Qué hago? Bueno, ahora mismo se los digo. ¡Le doy un puñetazo en las pelotas, como merece!

No, no, no... ¡Es broma! No lo dejé colgado. Después de todo, su mayor crimen también forma parte del motivo por el que me gusta: es un chico.

3

Esa persona que siempre te descubre en tus peores momentos
(2 500 SEGUIDORES)

*D*ía tres y ya tengo la situación Miami High bajo control. Conocí a un chico y tengo un plan ideado y a punto para ponerlo en acción: vestir sin llamar la atención, integrarme, evitar a Yvette Amparo, no hablar en clase, escabullirme del campus a la hora de comer y siempre mirar por dónde piso. Fácil. En otras palabras, he conquistado uno de los mayores retos de todos los tiempos: sobrevivir al colegio. Bueno, sí, me quedan unos seiscientos días más de esta locura hasta que pueda decir que he sobrevivido, pero voy por buen camino, ¿no?

Así es como empiezo la jornada: segura, brillante, con la canción «I Feel Pretty» de *West Side Story* en la cabeza en modo *repeat*. En la clase de inglés, Alexei me pasa una notita en la que dice, «Hola, guapa». ¡CON UN EMOJI GUIÑANDO EL OJO! Me podría haber enviado un mensaje de texto, pero es de la vieja escuela. Estoy embobada. Embelesada. Me siento en el séptimo cielo.

Pero es a partir de la segunda hora, en clase de historia, cuando las cosas empiezan a ponerse feas. Entro al aula vacía como una diosa invencible, cinco minutos antes, con la cabeza bien alta. Y como llevo la cabeza tan alta (y en las nubes, como una idiota total), no miro por dónde voy, o sea, el suelo. Mi pie choca contra la pata de una silla y salgo volando. Volando, literal, por los aires, de cabeza hacia la mesa de atrás.

«No pasa nada, Lele —me digo, recogiendo los libros, que se repartieron por el suelo incontrolables como un puñado de canicas—. Todavía no ha llegado nadie, todo está bien, no te preocupes». En ese momento me levanto y, para mi absoluto horror, veo a Darcy Smith sentada al otro lado de la clase, mirándome con los ojos muy abiertos, juzgándome. Darcy es una chica muy guapa, pero por lo que parece es también una marginada. Tiene la piel oscura y lisa, y una sonrisa de chica inteligente.

—Tú no viste nada, okey, Darcy? —le digo.

Me mira, pestañeando, y luego aparta la vista sin mediar palabra. Solo espero que haya captado el mensaje: las chicas muertas no hablan.

¿Fue eso lo peor que me pasó en todo el día? Para nada. Ni cerca. En educación física, una pelota de basquetbol me da en la cabeza. No sé quién pudo haber hecho un tiro tan poco profesional, pero apuesto a que fue Yvette Amparo. Y ¿a que no saben qué? Ahí estaba Darcy, quien ni siquiera tiene educación física en la cuarta hora, mirándome fijamente y en silencio. ¿Me está acosando o qué? Me llevo el dedo a los labios y le digo: «Shhh». Ella niega con la cabeza y sonríe.

Minucias. Tampoco es como si alguien importante me hubiera visto caerme. Y cuando digo alguien importante me refiero a Alexei. Pero no tendría ni que haber hecho esa conexión mental, porque solo con pensarlo ya estaba creando el escenario para que sucediera. Y así es como se desarrolla la acción:

Es la hora de comer y en la cafetería sirven mi plato favorito (espaguetis con albóndigas), solo que está todo aguado y huele a caballo. Genial. Mi plan para escaparme del campus no se produce. Excelente. Pero aprovecho el momento para posar lo que esta gente llama comida en la mesa justo enfrente de Alexei, es decir, mi amor, es decir, el dios del sexo.

—¿Qué tal va el día, Lele? —Pronuncia mi nombre de forma más perfecta que nadie en el universo. Nunca había sonado tan mágico.

—Bah, ya sabes —me cambio el pelo de hombro y me siento con tanta gracia como puedo a su lado—, otro día normal en el paraíso. —Le dedico la sonrisa más genuina que consigo dibujar.

—¿Te pasó algo interesante esta mañana?

Justo cuando acaba de decir esto, apoyo el codo sobre la esquina de mi bandeja de comida, creando una pendiente en plan *Titanic*. Solo que esta tragedia es mucho peor que la del barco: espaguetis por todas partes y mi polo blanca llena de salsa de tomate. Parezco la escena de un crimen.

—¡Dios, pero qué *freak*! —se oye decir a una voz por encima de todas las demás, y de repente todo el mundo me señala.

Empiezan a aparecer iPhones en el aire y la sala se llena del ruidito de las cámaras haciendo chk chk chk. Podría morir. Debería morir. Pero en lugar de ello, grito:

—¡MALDITA SEA! ¡QUÉ PUTA MIERDA! ¡ASQUEROSOS ESPAGUETIS DEL DIABLO! JURO POR DIOS QUE MI DÍA NO PUEDE EMPEORAR...

—Lele. —Alexei me toma del brazo—. No pasa nada, es solo pasta. Te ayudaré a limpiarte. Estas cosas ocurren.

¿No es el mejor? Alexei. Mi amor. El dios del sexo. Héroe. Le gusto pese a ser una completa loca; consigue ver mi yo real a través de todo ese envoltorio de locura, mi yo sexy y maravilloso. Lo sé. Lo noto. Bueno, igual es un poco pronto y puede que esté viendo lo que quiero ver. Pero quizá no me quede toda la vida sola. Me da un beso en la mejilla y corre por unas servilletas. Doy un suspiro de alivio: todo está bien en el mundo; no importa que sea un desastre: así soy yo. Pero entonces levanto la vista y veo a Darcy Smith comiendo sola en un rincón y esta vez se está riendo de mí.

Mientras espero a Alexei al salir de clase, veo que Darcy pasa por delante de mi casillero. Lleva la misma camiseta blanca que yo, solo que la suya no está llena de restos de espagueti.

—Oye —le digo, y se voltea—. Eres Darcy, ¿no?

—Sí, y tú eres ¿Lele?

—Lele el desastre del Miami High. Ese es mi nombre completo, de hecho.

—Los desastres no tienen nada de malo —dice. En mi cabeza se producen fuegos artificiales; y una orquesta empieza a tocar.

—Eso, gracias, ¡es lo que yo digo siempre!

—Las mentes brillantes siempre piensan igual.

—Ya sabía yo que tú eras una chica lista. ¿Sabes lo que eres?

—¿Además de lista y guapa y representante de la minoría negra del Miami High?

—Sí, además de todo eso. Eres la persona que siempre me descubre en mis peores momentos. Todo el mundo tiene una.

43

—¿En serio? Yo creo que no tengo.

—Bueno, ¡si quieres puedo ser yo!

—¡Buf! Entonces intentaré comportarme lo mejor posible cuando estés cerca.

—No, ¡lo peor posible! Oye, ¿te quieres venir a mi casa? Estoy dispuesta a posponer mis tareas unos cuantos cientos de horas.

—¡Guau! Parece que es verdad que las mentes brillantes siempre piensan lo mismo.

Ella y yo estamos a nada de tener un código secreto. Lo veo.

Dejo que Alexei se apunte a la procrastinación de la tarea, sobre todo porque da tanto gustito mirarlo. En casa, me aseguro de que mis padres estén bien encerraditos en su habitación (Dios sabe que ya he tenido suficientes situaciones vergonzosas por hoy) y luego me pongo a trabajar en mi última obra maestra. Alexei graba mientras Darcy y yo aparecemos en el Vine de esta noche: esa persona que siempre te descubre en tus peores momentos.

4

El blanco de los *bullies* /
A veces siento que soy invisible
(2 543 SEGUIDORES)

Es un viernes extrasoleado y caminamos hacia la clase de cálculo. Llevamos cruzada la mitad de la pasarela que conecta el edificio de historia y el de matemáticas cuando Darcy menciona que va a haber una fiesta en casa de una persona.

—Un momento —le digo, deteniéndome en el acto—. ¿No soy tu única amiga? ¿Has estado escondiéndome a tus otros amigos porque crees que no soy lo suficientemente *cool* para salir por ahí con ellos? O, peor, ¿me has estado escondiendo a MÍ de ellos porque tienes miedo de que te ponga en evidencia?

Extraño a mis amigos de la escuela católica y me molesta que tengan tantas actividades extraescolares que los mantienen extraocupados, extraño saber exactamente el lugar que ocupo en la vida de mis amigos, extraño saber que mis amigos están orgullosos de serlo, la seguridad que da esa lealtad de toda la vida. En el Miami High me siento como si siempre anduviera pisando huevos.

—¡Guau! —Darcy me mira como si fuera una psicópata. Psicópata, pero adorable... Una adorable psicópata,

45

vaya—. Primero que nada, no llamaría a Becca Cartwright y a Yvette Amparo exactamente amigas, son más bien conocidas. Y segundo...

—Espera, espera, espera, ¿Yvette Amparo es la que da la fiesta?

—Sí, ¿la conoces?

—¿Que si la conozco? Solo porque ha arruinado mi vida como unas setecientas veces. —Exhalo aire por la nariz como un dragón súper enojado.

—¿Te ha dicho alguien alguna vez que eres un poquito dramática?

—Puede ser. —Para acentuar lo que digo muevo mi melena como una estrella de cine—. Pero cualquiera que esté en sus cabales estaría de acuerdo conmigo en que Yvette Amparo es realmente una mira-mejor-vete-al-diablo.

—Muy bonito, Lele, muy maduro —comenta Darcy.

Llevo siendo amiga de esta chica apenas tres días y ya me está regañando. Admiro su valentía.

—Me da igual. Yo no voy ni loca. De verdad no la aguanto. Es una *bully*.

—No tienes ni que hablar con ella, pero creo que sería positivo para ti que fueras. Te caería bien socializar un poco, ¿sabes? Para conocer al resto de tus compañeros. Toda la gente *cool* estará allí —afirma Darcy.

—Perdona, ¿acabas de decir gente *cool*? ¿Qué es esto, *High School Musical*?

—¿Cómo? ¿Eso qué quiere decir?

—No estoy segura —admito. En *HSM*, ¿era Sharpay la *cool*? ¿Puede alguien ser *cool* llamándose Sharpay?

46

—Mira, no hace falta que vayas. Es solo que creo que la podríamos pasar bien. A ver, si no ¿qué vas a hacer el viernes por la noche?

Al parecer, Alexei también planea irse de fiesta con el enemigo (¿Tú también, Bruto?).

—Será una buena oportunidad para demostrarle que no le tienes miedo —me dice—. Nos vemos allí.

—A mí nadie me da miedo —lo contradigo—. Soy *inasustable.*

—¡Buuu! —grita Darcy a mi espalda. Y casi me desmayo del susto.

—¿Tengo que arreglarme para esto? —pregunto desde un rinconcito cómodo de mi habitación donde estoy sentada en el suelo con la espalda apoyada en la cama.

Darcy se está poniendo pintalabios rojo oscuro en mi tocador, y está guapísima. Se voltea y me escanea de la cabeza a los pies.

—A ver, no hace falta que te arregles si no quieres, pero yo te aconsejaría quitarte al menos la pijama rosa...

—¿¡Por!? ¡Si está bonita! Es tan cómoda... Y me queda tan bien... —Me abrazo a mí misma sonriendo de oreja a oreja.

—Genial, Lele, pero es que vamos a una fiesta. La gente normalmente se esfuerza al menos un poquito.

—Uf, qué complicado es todo.

Me apoyo en la cama para levantarme y me dirijo al armario con desgano. Pantalón, pantalón, pantalón, camiseta, camiseta, camiseta.... Mmm... No tengo el vestuario más variado del mundo. ¡Eh! ¡Un vestido! ¡Menos mal! Justo detrás de un montón de polos hay un vestido vaporoso blanco con florecitas muy veraniego que me parece que llevé a un picnic familiar hace dos años, y por suerte todavía me queda como guante. Como un guante algo justo, pero guante al fin y al cabo.

—¡Guapísima! —exclama Darcy—. Ahora veamos qué zapatos van con él.

—No tengo muchos. Es que no se me da eso de los zapatos, ¿sabes?

—No, no lo sé. Los zapatos son súper importantes. Todo el mundo lo sabe.

—¿En serio? Yo pensaba que las cosas importantes eran el agua potable y el oxígeno para respirar, pero, oye, si tú dices que son los zapatos, pues adelante. Siempre se aprende algo nuevo...

—No te pongas listilla, anda. Escoge unas sandalias de tiras, por ejemplo.

—¡Eh! ¿Desde cuándo perteneces a la policía de la moda? Atención, mundo, la señorita Ratita de Biblioteca tiene una faceta totalmente desconocida. Lamento decepcionarte, pero estas son nuestras únicas opciones. —Voy al armario y saco unos Converse blancos y unas sandalias de goma de color naranja.

—¡Ay, Dios! ¿Estos son tus únicos zapatos?

—Sí.

—Pero ¿cómo puede ser?

—No sé —me encojo de hombros—, en el otro colegio llevaba uniforme y no había que preocuparse mucho por la ropa. La verdad es que era un alivio.

Darcy suspira, mira de un par de zapatos a otro, y luego del segundo al primero de nuevo como si su vida dependiera de ello. Finalmente, se decide por unos y salimos de mi cuarto: Darcy con *flats* negros de Steve Madden y yo con sandalias de goma color naranja, el calzado oficial de las niñas de cinco años.

—Disculpen. —Mamá nos para justo cuando íbamos a salir por la puerta principal.

—¿Sí? ¿Qué pasa? —Intento sonar súper tranquila y confiada: no hay nada que ver, mamá, solo una chica mayor que sale de fiesta, como cada viernes.

—¿A dónde creen que van?

—Una chica del colegio da una fiesta.

—¿Y se van a ir así, sin pedir permiso?

—No pensaba que hiciera falta —miento—. Es solo una fiesta. Nada del otro mundo. —Darcy está parada en la puerta, incómoda, jugueteando con un rizo.

—Lele, ya conoces las reglas. Si vas a ir a una fiesta en casa de una compañera, necesito el número de teléfono de sus padres. ¿Habrá algún adulto allí para supervisarlos?

—Ay, mamá, por favor, qué vergüenza. Soy lo suficientemente mayor como para juzgar por mí misma lo que está bien o mal, ¿no crees?

—No, no lo creo. Ya demostraste que no al no pedir permiso para ir.

—Okey. —No tengo ganas de discutir—. En realidad no tenía ganas de ir. Ni siquiera me cae bien esa gente. Darcy, ve tú, luego hablamos.

Mamá me mira con aire sospechoso.

—¿Qué? ¿Tan pronto te rindes? Lele, eso no es propio de ti, ¿qué está pasando? ¿Todavía no te llevas bien con tus compañeros de clase?

—Correcto. Darcy es mi única amiga.

Darcy saluda con la mano.

—Mira, ¿sabes qué? Vete a la fiesta. Haz amigos. Socializa un poco —concede mamá.

—¿En serio?

—Sí, solo se es joven una vez. Y, además, no quiero tener parte de culpa de que no tengas amigos.

—¡Oye! Que sí tengo amigos, ¿te acuerdas de Darcy?

—Anda, vete ya antes de que cambie de opinión.

—¿Qué pasa aquí? —Papá aparece por detrás de mamá comiéndose un paquete de papas fritas.

Siempre ha tenido una presencia muy juvenil que ha hecho de él un padre genial junto al que crecer, siempre preparado para las aventuras y a reírse de cualquier chiste.

—Lele va a una fiesta —dice mamá.

Mamá también es bastante juvenil, pero de un modo mucho más glamuroso. Se riza la melena negra como la tinta y usa lentes de sol extragrandes tanto fuera como dentro de casa. El tipo de lentes de sol que me imagino llevando cuando sea estrella de cine. Es mi modelo a seguir. Ambos lo son, de hecho.

—¡Pásalo bien! —grita papá mientras jalo a Darcy y nos dirigimos hacia el Uber, que nos espera—. ¡Y no te drogues!

—¡Sabes que nunca lo haría! —respondo en un falso tono ofendido. En secreto, me encanta cuando se ponen sobreprotectores.

No sé qué tienen Darcy y Alexei, pero ambos encajan a la perfección en la fiesta. A lo mejor es porque son lo suficientemente guapos como para ser modelos y porque le siguen la corriente a todo el mundo. Puaj. Llevamos apenas unos minutos y yo ya estoy sola en una esquina, como en la típica escena del baile del colegio. Estoy inmersa en un mar de chicos y chicas y todo el mundo parece nadar a mi alrededor como si yo no estuviera. A veces me siento invisible.

Y no es que sea tímida. Soy extrovertida y todo un carrusel de diversión, les digo, pero entonces ¿cómo es que a todo el mundo le resulta tan fácil ignorarme? ¡¿Hola?! ¿Me ve alguien? Sacudo las manos para comprobarlo, pero no hay reacción alguna. Lo que creía, soy invisible. Esta escuela nueva me da un miedo terrible, la verdad. Todo el mundo, incluso Alexei y Darcy, parecen estar al otro lado de un panel de cristal, en un lugar en el que les lavaron el cerebro para que abandonaran su personalidad.

La casa de Yvette Amparo es gigantesca. Tiene grandes columnas de mármol blanco y pórticos con arcos, y un candelabro de techo que si llega a caerse mata a alguien. Subo una escalera en espiral con alfombra roja hasta el segundo piso, pensando que si nadie quiere hablar conmigo tampoco tiene mucho sentido que me quede ahí en medio. Ellos se lo pierden. Salgo a uno de los muchos balcones de la casa que dan a la alberca. Si saltara, ¿se daría cuenta alguien? ¿Y si me tropezara, me cayera y gritara pidiendo auxilio colgada desde la barandilla? Seguro aún así me ignorarían. Incluso Alexei, el gran traidor. ¡Ni siquiera me ha presentado a nadie ni les ha dicho que soy su novia! Así es como funciona, ¿no? Cuando un chico te acompaña a casa, eres su novia, ¿o qué? Nunca he tenido novio, ¡que alguien me lo confirme!

Miro abajo y veo que todos se están metiendo a la alberca. Alexei ya se quitó la camiseta, parece que es su estado natural, y está rodeado de... SÍ, LO ADIVINARON: ¡CHICAS! Cómo les gusta un tipo con aires de modelo sin camiseta. ¡Qué simples son!

Yvette saca una bandeja con fresas y galletas y un bote de Nutella gigante en el centro. Desde mi pedestal a lo Grinch veo a todo el mundo súper emocionado ante la llegada de la comida, como si la Nutella fuera crack, y les aseguro que no es; la mayor diferencia es que comerte ese pedazo de bote de Nutella te haría ponerte tan gorda como un pavo de Navidad. Pero no si eres miembro del club de la gente *cool*. Noooooo. Nada se interpone entre los chicos del Miami High y sus cuerpazos. Ni siquiera un bote de Gordella. Yvette y las demás, Becca y Maddie y Cynthia y Emily, se atiborran a galletas sin que sus físicos de sirenas anoréxicas se vean afectados en lo más mínimo. Bueno, Maddie es un poco más voluptuosa, pero tan espectacularmente guapa como el resto. Alexei da un bocado y juro que parece que los abdominales se le marcan aun más. Uf, esos abdominales. Me alegro de que nadie me llame para que me una al festín de la leche cacao avellanas y azúcar; con solo acercarme siquiera a un postre me inflo como un pez globo. Me tendrían que sacar de aquí rodando. Y eso no es nada glamuroso.

Y bueno, eso es todo: nadie va a venir por mí. Podría estar muerta y no se darían ni cuenta. Quizá en un futuro, en alguna reunión de exalumnos, alguien diría: «¿Se acuerdan de aquella *freak* que llegó al Miami High, se quedó como una semana y luego desapareció?», y otro añadiría: «¡Guau! Si no lo mencionas ahora ni me hubiera vuelto a acordar de ella. ¿Cómo se llamaba? ¿Lili?». Y la primera persona respondería: «No, creo que era Leila». Y el otro: «¿Seguro? ¿No sería Lala?». «Bueno, ¿a quién le importa?».

Imaginar la escena me pone muy triste y empiezo a darme mucha lástima. Me deprimo, dejo que una ola de melancolía me invada y salgo disparada escaleras abajo, cruzo la puerta, paso junto a los comedores de Nutella —que ni me ven, por supuesto— y salgo a la calle. Ahora soy una chica de la calle. Una chica de la calle a la que nadie quiere. Camino por la acera cabizbaja, en mi cabeza resuena una música tristona tipo Charlie Brown y veo el reflejo de mi triste semblante reflejado en los charcos de agua que se amontona en las alcantarillas. Y entonces —SSSHHH—, un coche aparece de la nada y —SSSHHH— me empapa de arriba abajo como un tsunami, calándome hasta mi pobre y desesperada alma.

—Disculpa, ¡no te vi! —me grita la conductora desde la ventanilla mientras se aleja a toda velocidad, como si no hubiera hecho gran cosa.

No, claro, no se preocupe, ni siquiera soy una persona real; solo soy un vacío a través del cual todo el mundo cree que puede circular.

Decido que al menos tendría que decir adiós antes de abandonar la fiesta del infierno, así que vuelvo a entrar a la casa.

—Alexei —digo con dulzura entre dientes—, me voy, ¿okey? ¡Adiós!

—¡Lele! ¡Espera! ¿Dónde estabas? Y ¿qué te pasó? ¡Te busqué por todas partes!

—Un coche me salpicó —digo alisándome el vestido, que ahora está arrugado y se me pega a los muslos—, pero no pasa nada, me recuperaré, gracias, buenas noches y buena suerte, señor.

—Lele, ¿por qué te estás portando tan rara?

—Ah, ¿me estoy comportando de forma rara?

—Pues sí, la verdad.

Pobre hombre, a veces soy insoportable.

—¡Puaaajjj! —grita Yvette Amparo—. ¡Lele parece una rata de alcantarilla!

—Sí —asiento—, me salpicaron y no me veo muy guapa, no. De todos modos, ¿qué demonios te pasa conmigo, Yvette?

—Lo que me pasa es que no me caes bien porque eres una *freak* y no encajas. No me gusta cuando llegan chicas como tú, siempre se creen que son especiales y que pueden ser lo que les dé la gana.

—Pero es que yo puedo ser lo que quiera. Eso no significa que sea especial, significa que soy humana. Todo el mundo puede ser lo que quiera ser. Lo que pasa es que no todo el mundo se da cuenta.

—Eso es exactamente lo que diría una *freak* —se ríe Yvette, y algunas de sus secuaces se ríen con ella hasta que les echa una mirada asesina y se callan.

—No es ninguna *freak* —argumenta Alexei—. Lele es *cool*. ¿Y qué si es un poco rarita? Eso es precisamente lo que la hace tan increíble.

—Eso —digo—. Le quedó perfecto.

El corazón está a punto de estallarme en el pecho. Quiero gritar «¡ERES MI HÉROE!» a pleno pulmón, como hace Megara en *Hércules* (versión Disney, claro), pero luego recuerdo que mamá dijo que eso no era muy feminista y que las chicas deberíamos aprender a ser nuestras propias heroínas. Pero aun así, estoy embelesada.

—Anda, Lele, vamos a secarte. —Alexei toma su chamarra y me la pone sobre los hombros mientras Darcy nos acompaña a la salida, dedicándole una mirada de asco monumental a Yvette.

La puerta se cierra detrás de nosotros y oigo a Becca Cartwright decir:

—Bueno, gente, se acabó la fiesta.

En el taxi de vuelta a casa, Darcy me mira y me dice:

—En realidad sí parecías una rata de alcantarilla... —y los tres nos atacamos de la risa.

Darcy se pasa todo el trayecto haciéndose pipí, así que cuando el taxi se detiene sale disparada hacia el baño y nos deja a Alexei y a mí en la puerta.

—Oye, gracias por defenderme —digo—. Fuiste muy... caballeroso.

—No podía soportar que te hablara así. ¿Quién demonios se cree?

—Sí, ¿verdad?

—Tú tienes mucha actitud. Me gusta que seas tan positiva. Quiero decir...

Y ENTONCES SUCEDE. EL MOMENTO QUE LLEVO ESPERANDO TODA LA VIDA.

Me besa.

No.

En realidad, no.

Yo pensaba que me iba a besar, pero en vez de eso, dice:

—Me caes bien. Me caes muy bien, Lele.

Yo estoy ahí de pie con los labios puestos, y todo lo que consigo articular es:

—Sí, tú a mí también, creo.

Así que Alexei no me besó, pero no pasa nada, bien está lo que bien acaba.

Y esta noche al final acabó bien. Grabamos un video, «A veces siento que soy invisible», y lo subimos a Vine. Nos encontramos con una sorpresa buenísima: «Esa persona que siempre te atrapa en tus peores momentos»... ¡lleva más de cinco mil reproducciones! ¡Chúpate esa, Yvette Amparo! ¡Vete al diablo, Miami High!

5

Problemas de vivir en Florida / La niña de mamá
(2 780 SEGUIDORES)

¡*A*y, Miami! Mi único y verdadero amor. Miami, ciudad de playas cristalinas, bellezas y alcohol; ciudad de neón y de palmeras, de arenas blancas y brisa tropical; ciudad de jubilados, humedad y lentes Ray-Ban Aviator con cristales reflectantes. Ciudad de 2.6 millones de habitantes. ¡No puedo creer que tenga que compartirla con tantos idiotas! Como cualquier otra ciudad genial, Miami es a la vez elegante y asquerosa, una yuxtaposición de historia glamurosa y turistas horribles con sus gordas barrigotas al aire y quemados como camarones. Pero también los adoro, porque son parte de lo que convierte a Miami en mi hogar.

Me levanto temprano el sábado, todavía con la emoción de mis más de cinco mil reproducciones en Vine. Brilla el sol y hace un día perfecto para darse un buen baño. Tenemos alberca en la parte de atrás, pero no de esas extravagantes como la terrible Amparo. La nuestra es modesta, un simple rectángulo con el fondo azul oscuro y el borde de mosaicos del mismo color. Una cálida brisa me mece el pelo cuando salgo y veo que papá me ganó y ya está allí. Está tumbado en una toalla como un cadáver, absorbiendo los rayos.

—Hola, calabacita —dice, sin darse cuenta de que tiene dos bebés de cocodrilo del tamaño de dos lagartos grandes, de unos veinte centímetros cada uno, acercándosele en silencio. Miami es también la ciudad de los 2.6 millones de cocodrilos (bueno, a lo mejor no tantos, pero es que hay montones). Decido no avisarle; así será más divertido.

—Buenos días, papi. Me voy a dar un baño.

—Muy bien, chicharito. —Por algún motivo le gusta utilizar apelativos cariñosos pertenecientes al reino vegetal. Así es mi padre.

Me tiro de cabeza. El agua fresca y sedosa es un bálsamo para mi piel acalorada. Nado dos largos antes de escuchar los gritos de terror.

—¡Lele! —Mi padre grita con todas sus fuerzas—. ¡¡¡Lele!!! —Saco la cabeza y veo a los cocodrilitos paseando por su pecho desnudo. Está paralizado por el miedo.

—¿Qué pasa, papi? —pregunto divertida.

—Lele, por el amor de Dios, ¡quítame estos monstruos de encima!

—Papá, relájate. —Salgo de la alberca—. Esto ya lo hablamos. Son bebés, no te van a hacer daño.

—¡Quítamelos de encima! ¡Quítamelos de encima!

—Okey, okey. —Los levanto con cuidado. Son como perritos, pero más ligeros—. ¿Por qué soy la única de la familia a quien no le dan miedo estos animales? Son súper inofensivos.

—¡Jesús! —exclama papá con un suspiro de alivio—. Qué cerca estuvo eso. ¡Este lugar es un campo de batalla! ¡Nadie está seguro!

—¿Qué dices? ¡Todos estamos seguros! Los bebés solo querían un abracito.

Tomo uno de ellos y me lo llevo a la cara para acariciarlo con la nariz. Seguro me veo estupenda arrullándolos como si fueran mis bebés. Soy como Daenerys Targaryen, pero con cocodrilos en vez de dragones. Nota mental: convertir esto en un Vine, porque los reptiles me quedan divinamente.

—No son los bebés lo que me preocupa, es su madre, que debe de andar por aquí cerca ¡y querrá destruir a cualquiera que se meta con sus cachorros!

—Pero no nos estamos metiendo con sus cachorros, sus cachorros se están metiendo con nosotros.

—Es una madre cocodrilo, Lele, no creo que vea la diferencia.

—Ya, entiendo, entiendo. Pero ¿no crees que si hubiera un cocodrilo adulto por aquí ya lo habríamos notado?

—No necesariamente. Son súper silenciosos. Y súper ágiles.

Nos imagino a papá y a mí devorados en segundos por una mamá cocodrilo muy enojada. Sangre y carne por todas partes. Puaj. Nota mental: cuando haga mi Vine sobre bebés cocodrilos, que alguien haga guardia por si aparece su madre. Les doy unos besos a los bebés antes de devolverlos a la selva (unas palmeras y unas flores que hay plantadas fuera de la finca) y luego vuelvo a casa antes de que a alguien se le ocurra devorarme. No he meditado mucho sobre cómo voy a morir, pero creo que preferiría que no fuera devorada por un cocodrilo.

Mamá prepara la comida, que es algo muy maternal y muy agradable. (No tan maternal y agradable como un cocodrilo, que destrozaría y desmembraría a cualquiera que se metiera con sus bebés, pero no está mal.) Hoy toca pasticho venezolano, una especie de lasaña cremosa típica de Venezuela, porque parece que mis padres han decidido engordarme antes de sacrificarme a los dioses. O a los cocodrilos. Bueno, ya sé que a veces me pongo un poco paranoica, pero ¡a ustedes también les pasaría si siempre tuvieran a todo el mundo en contra!

Mamá se sienta a la mesa con una mascarilla verde y unos tubos en el pelo: eso es lo más *cool* de mi madre, ¡que todo le importa una mi**da! A papá le pasa igual, aunque sea un poco cobarde cuando se topa con cocodrilos a los que no les han salido ni los dientes de leche. Lleva los Ray-Ban Aviator con cristales reflectantes puestos y no trae camiseta. Desde que se puso a entrenar con las mancuernas va por ahí como si estuviera escultural, aunque ya pase de los cincuenta. ¿Qué pasa en Miami que todos los tipos quieren andar por ahí sin camiseta?

—Puaj, papá. Ponte la camiseta, anda, nadie quiere ver eso... —le digo.

Pero se burla de mí. Yo pongo los ojos en blanco. Todo muy *El Club de los Cinco* (en la peli, cuando están todos con sus irritantes padres al principio, antes de que los castiguen...).

—Lele, no le pongas los ojos en blanco a tu padre —dice mamá desde detrás de su mascarilla verde. Parece un extraterrestre, y no de los bonitos.

—¿Por qué? —pregunto—. Tú siempre lo haces.

Al oír esto se ríe y me choca los cinco. Juro que a veces parece que mis padres tienen once años.

—Muy divertido, sí, búrlate de tu viejo, a mí me da igual. —Levanta una ceja como si fuera a decir algo súper ocurrente—. ¡Rebota, rebota y en tu trasero explota!

—¿Lo ven? Once. Años. No hay duda.

—¿Y qué planes tenemos para hoy, Lele? —pregunta mamá.

—Pues como es sábado supongo que no haré nada mientras todo el mundo que tiene amigos se va a la playa y toman *shots* de ombligos ajenos.

—¿La gente hace eso? —pregunta papá intrigado.

—Tú también tienes amigos, cariño —dice mamá—. ¿Cómo se llamaban?

—Darcy y Alexei. Están bien. Pero también son unos traidores.

—Qué dramático, ¿no?

—Es que es UN DRAMÓN, mamá. Son amigos de mi peor enemiga.

—¿Tienes una enemiga? —Papá suena preocupado.

—Así es. Yvette Amparo.

—Imposible. ¿Cómo podría alguien no querer a mi niña? —protesta mamá.

—No lo sé, mamá. Estoy tan sorprendida como tú.

—No todo el mundo es capaz de soportar la magia de Lele —añade papá, acariciándome el pelo.

¡Nooo! Ahora me voy a pasar horas intentando arreglar lo que ya despeinó.

—Gracias, papi.

—¡Claro! ¡Podrías organizar una fiesta! Invita a quien quieras de tu escuela, Lele —sugiere mamá—. Nosotros nos quitaremos de en medio y ustedes se podrán divertir un montón.

—¡Y tomar *shots* de ombligo! —añade papá. Horror. Doble horror.

Mis padres son los mejores padres que cualquier chica adolescente podría tener, no me malinterpreten. Es solo que estos últimos años parecen entenderme cada vez menos. Por lo que parece, esto es un fenómeno muy común: a medida que los hijos crecen, los padres les parecen cada vez más intolerables, por mucho esfuerzo que hagan. Para mí es aun peor porque soy hija única y ellos siempre han estado obsesionados conmigo. Y antes yo estaba obsesionada con ellos (como les decía, ¡son lo máximo!). ¿Han oído hablar de las niñas de papá o las niñas de mamá? Pues yo era ambas cosas. Visitas al zoológico, noches de películas en familia, viajes, abrazos antes de dormir: mi infancia fue la imagen perfecta de la dicha infantil.

6

Esa persona que es hiperactiva por las mañanas
(3012 SEGUIDORES)

*L*unes por la mañana, día de hoy.

—¡¡¡Lele!!! —La voz de mamá resuena como la sirena de un camión de bomberos. Me estoy lavando los dientes, medio dormida.

—¿¿¿Qué??? —grito con la boca llena de pasta de dientes.

—¡¡¡Vas a llegar tarde a clase!!!

—¡¡¡Aaarggg!!!

—¡¡¡Aaaaaarrrggg!!!

—¡¡¡Aaaaaaaaaarrrrrrggg!!!

Y justo entonces, abre la puerta del baño y me tira la mochila a la cabeza. Eso hace que me calle.

Okey, empecé el día noqueada por una mochila. ¿Y? Alexei no me ha besado todavía. Mi archienemiga Yvette Amparo trae unos *jeans* hiperlindos de Rag & Bone y un bolso de Proenza Schouler mientras que yo podría llevar un saco de papas y no habría ninguna diferencia con mi *look* actual. Nada de esto importa, porque soy Lele Pons y nada puede detenerme. ¡Soy invencible! Soy la invencible chica invisible, esa soy yo.

Llego a la clase de inglés de la primera hora dando saltos y con una sonrisa tan amplia como la de una calabaza de Halloween. Si quieres tener éxito ¡debes parecer exitosa! Lo leí en algún lado. O lo vi en una película, creo. O lo inventé. No importa, lo que importa es que ¡voy a poder con este día! ¡Soy la reina de este día! Soy la Asesina de los Lunes por la Mañana, ¡lo mejor de lo mejor del Miami High! Ufff, ¿habré bebido mucho café? Igual sí.

Parece que nadie está de humor para aguantar mi buen humor. Lo que pasa es que están celosos. Celosos de no poder ponerse a mi nivel. Incluso el señor Contreras me mira como si fuera el Anticristo. ¿Es que nadie ha oído hablar de un lugar llamado Starbucks? Que lo busquen en Google. Intenté calmarme, pero ¡no puedo! ¡Soy un tornado de entusiasmo y cafeína!

—No me hagan caso —digo a la clase—. Me voy a sentar aquí a mi mesa y me voy a poner a trabajar como todos los demás. No hay nada que ver. Lamento tener tanta energía. Creo que me tomé cuatro tazas y media de café. A los venezolanos nos encanta el café. Y de ahí soy yo precisamente. Nadie me lo preguntó en mi primer día, aunque sí le preguntaron a Alexei de dónde era y empezó las clases un día después que yo, pero da igual, está bien, lo superé, los perdono a todos.

¡Bua, Lele! A veces me pongo a hablar y no puedo parar. Si la gente no me miraba antes, ahora definitivamente lo hacen. Sobre todo Alexei. ¡Ay!

—En fin, a lo que iba... —dice el señor Contreras—. ¿Pueden sacar su ejemplar de *El gran Gatsby* y abrirlo en el segundo capítulo?

Se oye ruido de mochilas y de libros a mi alrededor. ¿*El gran Gatsby*? ¿Desde cuándo estamos leyendo *El gran Gatsby*? ¿Por qué nadie me dijo? Ya sé que estaba en la lista de material del curso, pero supongo que lo olvidé. A lo mejor tengo un pequeño problema con el soñar despierta. Y con el café. Pero bueno, voy por cuesta abajo de camino a rehabilitación, ¿no? De repente estoy rodeada de un mar de gran Gatsbys —¿dónde se compran estos libros?—. Cierro los ojos y me imagino al señor Contreras pidiendo a todo el mundo que me lancen los ejemplares a la cabeza. Me están asediando, atacando libros de tapa dura y los enormes lentes del doctor T. J. Eckleburg me están examinando (pues sí, ya leí el libro, ¿qué pasa?).

Nota mental: hacer un Vine en el que el profesor ordena a la clase que tiren libros a mi cabeza como castigo por estar hiperactiva por la mañana. Nota mental: no hay nada de malo en soñar despierta un poco.

Cuando termina la clase, intento pasar desapercibida al salir del aula para evitar que una horda de lectores enfurruñados me bombardeen, pero Alexei me atrapa en la puerta.

—¿Dónde estuviste todo el fin de semana? —me pregunta—. Pensé que saldríamos.

Grrr. «No me presentaste como tu novia, así que ahora estás muerto para mí. Soy una chica venezolana muy temperamental». Eso es lo que quiero decirle. Pero en vez de eso, le suelto:

—¿Por qué no me escribiste un mensaje?

—Sí te escribí. —Tiene razón, me escribió. Lo ignoré para hacerme la dura. ¡Y funcionó! ¡JA, JA, JA!

—Perdón, no lo vi. ¡Salimos el fin de semana que viene!

—Superdura.

—¡Sería genial! —dice—. Oye, vi algunos de tus Vines. ¡Son lo máximo!

—¿Ah, sí?

—Sí, y parece que le gustan a mucha gente, se están haciendo muy populares.

—Supongo. —Me encojo de hombros modesta. (DIEZ MIL *VIEWS*, ¿¿HOLAAA??)

—Pensaba que quizá podría salir en alguno contigo. Fui modelo en Bélgica y estoy intentando empezar una carrera de actor. Acabo de hacerme una cuenta de Vine, pero creo que sería más divertido grabar juntos. —¿Una carrera de actor? Me burlo de él mentalmente durante un milisegundo y luego paso a modo súper halagada y encantada.

—¡Claro, por supuesto!

Lo perdono por ignorarme en la fiesta de Yvette porque luego me defendió. Y además, lo pasado, pasado está, ¿no?

—¿Sí?

—¡Sería muy *cool*!

—¡Genial! No estaba seguro de que te gustara la idea. Nos juntamos un rato luego y armamos un plan.

—Suena bien. Nos juntamos luego. —Ay, qué boba soné. Pero bueno, él lo dijo primero. ¡Basta, Lele! El chico que te gusta quiere colaborar contigo, ¡el día va bien!

7

Cuando eres la feíta del grupo
(3 055 SEGUIDORES)

𝓜e gusta que Alexei quiera colaborar conmigo, pero es obvio que no le gusto de verdad, porque si no ya me habría invitado a salir a estas alturas. Pero bueno, que quede esto como prueba de lo que siempre he sospechado: no soy lo suficientemente guapa.

Soy linda, no hay duda, pero no soy SUFICIENTEMEN-TE guapa. Si no vives en el mundo de las chicas, no sabrás qué significa eso. Dirás: «¿Suficientemente guapa? Eres rubia y tienes las tetas grandes: eres suficientemente guapa. ¡Deja de complicar tanto las cosas, mujer!». A lo que yo responderé: «Cállate la boca, maldito sexista, y déjame hablar». Y entonces te diría, escucha esto:

LO QUE SIGNIFICA NO SER SUFICIENTEMENTE GUAPA, EXPLICADO POR LA ÚNICA E INIGUALABLE LELE PONS

Cuando eres una chica, estás constantemente rodeada de otras chicas, y por tanto te vas a fijar en todos los rasgos bonitos que ellas tienen y tú no. Los chicos no se comparan entre ellos porque no están programados así. Como dije antes, los chicos están programados para resolver cualquier atisbo de competitividad a puñetazo limpio y por eso no se preocupan tanto por el tema. Un chico ve a otro con el pelo más *cool* o, no sé, más músculo (en el gimnasio, digamos) y todo lo que piensa es «si quisiera le podría dar una buena paliza», y a otra cosa, mariposa. Cualquier sensación o complejo de inferioridad es convenientemente suprimido.

Pero las chicas somos diferentes. Vemos a otra que tiene algo que creemos que es más atractivo o mejor que lo nuestro y de forma instantánea lo interpretamos como información que prueba que nos falta algo. Al escribirlo me doy cuenta de lo ridículo que es: mi sonrisa es menos bonita que la de esa chica, por lo tanto valgo menos como humana o soy menos deseable como novia. No tiene ninguna lógica. Pero bueno, incluso si eres guapa, tienes a tu alrededor un montón de chicas que son más guapas, al menos en tu opinión, y te comparas con ellas una y otra vez, y te das cuenta de que tu belleza es inferior a la suya.

Creo que esto es en lo que consiste ser una chica. Pero a lo mejor solo es en lo que consiste ser Lele.

Para mí, no ser suficientemente guapa quiere decir que tengo el pelo bonito y los pechos grandes y los labios carnosos, pero mi nariz no encaja en mi cara y mi piel tiene la misión de arruinarme la vida. Y, en caso de que no se hayan dado cuenta, la nariz y la piel son dos puntos de la cara bastante visibles. Por ejemplo, si tus orejas son tu mayor problema, no pasa nada. Una barbilla un poco fea también se puede superar con facilidad: muchas chicas con barbillas prominentes son guapas igual. Son las facciones centrales las que importan de verdad, y no hay elemento más central en la cara que la nariz. Acabo de inventar esta teoría ahora mismo, pero yo creo que se sostiene bastante, ¿no?

Además, la piel es el telón de fondo de toda la cara, y si no es lisa y clara y sedosa, ¿cómo va a verse bien el resto? Imaginen en un cuadro bonito... Si el lienzo está todo abollado y rojizo, la belleza de la pintura se va a la basura. Y bien sabe Dios que en esta analogía, mi cara es como un Picasso. ¡Un Picasso con *brackets*!

Mis inseguridades llevan acompañándome bastante tiempo (uf, estamos pasando a temas profunditos profunditos). Yo era una niña súper segura de mí misma hasta que cumplí doce años y me enviaron a un campamento de verano, que fue justo cuando mi cuerpo decidió dejar de metabolizar los carbohidratos a la velocidad de la luz. Yo seguí con mi dieta «sin padres no hay reglas», comiendo chocolates y dulces y bebiendo Sprite sin darme cuenta de que ahora la comida basura venía con efectos secundarios. Engordé como unos diez kilos ese verano y nunca me repuse del susto que me llevé al ver mi imagen reflejada en el espejo al volver a casa. Luego hice ejercicio, crecí y volví a adelgazar, pero era demasiado tarde: las hormonas ya campaban a sus anchas y me quedé anclada en un estado constante en el que sentía que no era suficientemente guapa. (Bienvenidos al mundo femenino. En fin...).

Pero bueno, el martes, después de clase, por fin salgo con algunas amigas de mi antigua escuela. Lucy, Arianna y Mara. Todas han estado muy ocupadas últimamente, y su colegio está en la otra punta de la ciudad y yo soy demasiado perezosa como para recorrer esa distancia.

Estas chicas llevan siendo mis amigas desde hace casi cinco años, y las adoro, pero sin duda soy la más feíta del grupo. Lucy es la típica chica playera súper deportista, Arianna es la *nerd* sexy, y Mara es..., bueno, es la chica más guapa que la mayoría de la gente ha visto en su vida. Guapa pero cercana como la chica de al lado, o al menos eso es lo que siempre dicen todos. Además, es la persona más dulce del mundo y una amiga genial, así que no puedo ni odiarla por ello, cosa que lo complica todo aun más.

—Lele —dice Lucy—, ¿qué tal el colegio nuevo? ¡Tienes que contárnoslo todo! ¡Siento que hace siglos que no nos vemos!

Comemos yogur helado en un centro comercial junto a unos *skaters* que traen cinturones con estoperoles y gorras puestas al revés. Ya saben a qué tipo de *look* me refiero.

—Pues sí, he estado bastante ocupada poniéndome en ridículo continuamente y me ha costado un mundo hacer nuevos amigos.

—¿En serio? —pregunta Lucy—. ¿Se han portado mal contigo, Lele? Solo dime y voy y les doy una paliza.

—Gracias, Luce. Han sido..., bueno, no me dieron la bienvenida con los brazos abiertos precisamente. Los de la pública tienen ciertos problemas para controlar su ira. Sobre todo una chica, Yvette.

—¿Yvette qué más? —Arianna saca su iPhone nuevo y abre Facebook.

—Amparo.

—¿Es esta?

—¡Guau! ¡Qué rapidez!

Miro la pantalla y veo la melena de Yvette cayéndole sobre los hombros como una cascada de tinta en una foto en la que posa en el balcón que da a su alberca. Mi balcón de la vergüenza y de la autoflagelación.

—Sí, esa misma.

—Pero ¡si tú eres mil veces más guapa! —exclama Mara, echando un vistazo a la foto.

Yo no lo creo, y seguro Mara tampoco, pero eso es exactamente lo que se supone que deben hacer las mejores amigas: mentirse las unas a las otras sobre lo guapas que son.

—Eres un ángel del cielo —le digo, dándole un beso en la mejilla—. ¿Por qué no pueden ir conmigo al Miami High? ¡Las extraño mucho!

—¡Nosotras también te extrañamos! —están de acuerdo las demás.

¡Estas son mis chicas! Gente que me aprecia de verdad. Me gustaría encogerlas a tamaño bolsillo y llevarlas conmigo todo el día para no sentirme nunca sola. #Mipandilla. Estoy a punto de comentárselos cuando me doy cuenta de que a lo mejor si lo digo en voz alta se ofenden.

—Son las mejores amigas y personas humanas sobre la faz de la Tierra —digo en su lugar, y luego me excuso para ir a buscar más *toppings* para mi yogur helado.

Desde el estand de los yogures, veo cómo los *skaters* miran a mis amigas.

—¡Hola, chicas! —dice uno de ellos, y las saluda con la mano en alto.

Mara le devuelve el saludo y luego vuelve a mirar su yogur de un modo súper experto. Esta actitud experta hace que los chicos la miren todavía más. Les encanta lo que ven y quieren atención de estas chicas que obviamente están fuera de su alcance.

—¡Buenas! —digo volviendo a sentarme junto a mis amigas—. ¿Qué pasa?

De repente es como si los *skaters* hubieran retrocedido de puro asco. Se intercambian miradas extrañadas entre ellos y entonces uno, claramente el líder, el equivalente a Mara en el nuestro, por decirlo de alguna manera, dice:

—Nosotros ya nos íbamos... ¡Nos vemos!

El horror y el asco se les nota en la cara. ¿Ven? Lo que les decía. Soy la feíta del grupo. Además, a nadie le gusta una chica con *brackets*.

—Ay, Lele, no le des más vueltas —dice Mara—. A los chicos les intimida la confianza.

¿Yo? ¿Confiada? ¡Por favor! Es la forma que tiene todo el mundo de decirme: «Los chicos prefieren señoritas calladitas con caras fáciles de contemplar y que les hagan la comida y les aten los zapatos». ¡Pues se equivocan conmigo! Puedo ser yo misma y resultar atractiva, ¿no? Puedo ser una reina de la belleza si me esfuerzo un poquito más; puedo romper el corazón de cualquier chico y ser una buena influencia para las chicas, que me respetarán y honrarán, e incluso me tendrán miedo. En otras palabras, puedo ser popular sin sacrificar mi personalidad, sé que puedo, todo lo que tengo que hacer es decirle al mundo (al Miami High, vaya) que estoy aquí y que a partir de ahora las reglas van a cambiar, basta ya de seguirles la corriente, ¡basta de que se burlen de mí!

A lo mejor no soy la chica más guapa del Miami High, pero cuando me decido a hacer algo, tiendo a conseguirlo.

Y eso, amigas mías, se llama confianza.

En casa, tomo un paquete de dulces Rolo del refrigerador (los dulces siempre saben mejor fríos, obvio) y los devoro delante de la computadora mientras subo mi Vine «Cuando eres la feíta del grupo» y empiezo a ver aparecer *likes*. ¡Ah! El gustito que da ver cómo te validan los demás. Luego me paso veinte minutos intentando quitar los restos de Rolos de los *brackets*. Un espectáculo nada agradable. Nota mental: que te quiten estas cosas ya. DE INMEDIATO.

8

Cuando a tu mejor amiga le queda tu ropa mejor que a ti (3 827 SEGUIDORES)

*L*a casa de Darcy es mi nueva casa favorita. Es acogedora y cálida, tiene un estilo muy de vieja casa de la playa, decorada con conchas que de verdad parecen extraídas del mar y no de una tienda de decoración. Soy una gran defensora de las cosas auténticas, y esto dice mucho de Darcy y de su *family*. Le pregunté a su madre si podía venirme a vivir aquí con ellos y me dijo que no. Típico.

—Decidí superarlo —le digo a Darcy.

Estamos sentadas en su cama leyendo la revista *Seventeen*, con el ventilador del techo prendido sobre nuestras cabezas.

—¿Ah, sí? ¿Superar qué?

—Decidí que voy a dejar de autocompadecerme. Voy a cambiar de *look* y voy a demostrarle a todo el mundo que puedo ser *cool*. PERO no voy a dejar de ser yo misma.

—Pero vas a dejar de parecer tú misma.

—No, seguiré pareciendo yo misma, pero seré una versión mejorada y actualizada. Como una Lele 2.0.

—Okey, ¿qué quieres cambiar?

—Bueno, para empezar, ¡la semana que viene me quitan los *brackets*!

—¡Dios! Vas a ser mucho más feliz sin esas cosas. Cuando me quitaron los míos fue como si volviera a nacer, de verdad —dice Darcy sonriendo y mostrándome su perfecta sonrisa como si fuera un anuncio de Trident.

—Sí, Darcy, ya sé que eres muy guapa. Pero ahora volvamos al tema que nos ocupa, que soy yo. Esta es mi historia de transformación, no la tuya.

Pone los ojos en blanco al oírlo, pero a la vez me hace un gesto con la mano para que prosiga. Darcy tiene sus cosas, como todos, pero es una gran amiga. Creo que me entiende de veras. Entiende que tengo un corazón de oro pese a ser una persona bastante difícil de tratar.

—Creo que me voy a cortar el pelo, darle forma, e incluso mechas —añado.

—¿Mechas de qué color? Tu pelo ya es súper rubio.

—Pues mechas súper rubio platino, para añadir un toque extra de complejidad y sofisticación.

—Suena como si supieras exactamente de lo que hablas.

—Genial, aunque la verdad es que no tengo ni idea. Lo estoy inventando todo sobre la marcha.

—Eres única, Lele, en serio...

—*Merci, mon amie* —digo, pensando que quizá un toquecito francés podría irle de perlas a la Lele 2.0—. También bajé como dos kilos y medio por el estrés que conlleva ser una marginada de la sociedad a quien nadie quiere, y esto es un plus para mi nuevo *look*.

—No eres una marginada y no es verdad que nadie te quiera, chiflada. Pruébate la ropa que te compraste hoy.

—¡Ay, sí! ¡Hora de desfilar!

Tomo la bolsa de la tienda y saco un *top* cortito negro y unos *shorts* grises con estampado que imita la piel de serpiente. ¡Sí! Complejidad y sofisticación, esto es exactamente a lo que me refería.

Me quito la ropa y me pongo las dos prendas, me miro al espejo de cuerpo entero y... no les voy a mentir, ¡me veo súper bien!

—¡Qué guapa, Lele! —sonríe Darcy—. ¡Te ves súper bien!

—¡Gracias! Un poco sí, ¿verdad?

—Vaya que sí. ¿Me los puedo probar yo?

—Sí, claro, ¿por qué no? —me encojo de hombros.

Me quito las dos prendas y se las doy, y luego vuelvo a ponerme mis ropajes mundanos, que no son ni complejos ni sofisticados. Ni un poco.

Darcy se pone el conjunto y casi puedo escuchar una canción de Beyoncé de fondo: ¡parece salida de un videoclip! Vaya, le queda muuuuuuy bien. Mejor que a mí, la verdad. No tenía ni idea de que estuviera tan en forma. Sus piernas y abdominales están definidos justo lo necesario y el tono de su piel color café con leche es totalmente homogéneo y liso. El pelo, recién secado con secador, le cae sobre los hombros. Es como una sirena, una sirena compleja y sofisticada. Mierda. Creo que tengo la mandíbula desencajada.

—¿Te gusta? —pregunta.

—Mmm... No mucho... —Niego con la cabeza y vuelvo la vista a las páginas de *Seventeen*. Genial, la revista también está llena de tipas hermosas, ¡están por todas partes!

—Vamos, Lele, no seas así —dice—. A ti también te queda de lujo.

—Te queda INCREÍBLEMENTE mejor a ti, no tienes ni idea de cuánto. Deberías usarlo tú. ¡No sabía que ibas al gimnasio!

—No voy.

GRRRRRR...

—¡Malvada hechicera sexy de magia negra!

—¡Racista! —bromea Darcy.

La empujo contra el armario.

—¡Sal de aquí, bruja!

—Mira, Lele. Ya casi lo tienes, solo te falta esforzarte un poquito más para conseguir ser la chica más sexy del Miami High, si es que te preocupan esas cosas. Bueno, una de las más sexys al menos —afirma guiñándome el ojo.

Yo también intento hacerlo, pero fracaso estrepitosamente. Seguro que más bien parece que me dio un ataque de epilepsia.

A lo mejor tiene razón. A lo mejor estoy a nada de conseguir mi sueño de ser sexy y popular. Puede que la oportunidad de salir de la marginación esté a la vuelta de la esquina. ¿Querrá esto decir que debería empezar a usar maquillaje? ¿Y también ir al gimnasio? Ay, no, Dios, ¿querrá decir que tengo que dejar de comer chocolate? No, no, me muero. Me muero dos veces. A ver, concéntrate un poco, Lele: una debe hacer ciertos sacrificios cuando planea conquistar el mundo. (Leer esto último con una risa demoniaca de fondo).

9

Cuando vas a cortarte el pelo
(3 998 SEGUIDORES)

*M*amá deja que me corte el pelo porque es la mejor. Bueno, tal vez puede que fuera porque le dije que si no me daba permiso me vería forzada a tomar el asunto (y la tijera) con mis propias manos.

—Pero cariño, ¡si tu pelo es precioso! —Hace una mueca y luego me pone las palmas de las manos en las mejillas.

—Tranqui, tranqui —consigo decir pese a la presión de sus garras—. Solo pensaba cortarme las puntas y darme unos reflejos. El cambio será sutil, lo juro.

—Okey, te llevaré con Juan.

—¿Quién es Juan?

—Mi peluquero. Yo hace años que voy a su salón de belleza.

—Pero si tu pelo siempre está igual.

Se parte de la risa. Genial.

—Si no fuera a ver a Juan cada poco, ¡mi pelo sería tan gris como un murciélago!

—¿Eso es un dicho? Porque yo pensaba que los murciélagos eran negros.

—Ay, pues ni idea. —Se encoge de hombros y se pasa la mano por los rizos negros como el tizón. ¿Cómo es que soy rubia? ¿Seré adoptada?

Me conduce hasta Gianni's, una peluquería que está en Española Way. No puedo creer que mi madre lleve años viniendo aquí y nunca me haya traído. Es como el cielo pero en peluquería. Hay grandes picos de porcelana y suelos de granito pulido, y el aire está impregnado de olor a lavanda y madreselva. Blancos querubines posan con sus cabecitas recostadas en pedestales. Creo que podría vivir aquí.

—*Hello, hello!*

Un hombre alto y afeminado con melena perfecta echada hacia atrás con gel sale de detrás de una cortina. Trae un delantal equipado con todo el instrumental de peluquería que se les pueda pasar por la cabeza, todo plateado y resplandeciente. Debe de ser Juan.

—¡Juan, cariño! —dice mamá, y le da dos besos.

—¡Qué alegría verte, Anna! Y ¿a quién tenemos aquí?

—Es mi hija, Lele. Está buscando un nuevo corte, más actual. Y le dije que entonces tenía que venir a ver a Juan, claro.

—¡Claro! ¿A quién si no? —Ambos ríen como viejos amigos—. Dime, Lele, ¿qué has pensado? ¿Qué tipo de *look* tienes en mente?

—Algo complejo y sofisticado —murmuro.

Él suspira, junta las manos y exclama:

—¡No digas más! ¡Lo tengo!

Me conduce a una silla y se pone manos a la obra. Me relajo en sus manos mientras él lava, corta y me pone papel de plata. Entro en un estado de relajación zen al saber que muy pronto emergeré de aquí siendo Lele 2.0.

—Y bien, ¿cómo lo ves? —me pregunta tras lo que parecen unos segundos.

Me da la vuelta para que pueda mirarme en el espejo y para mi profundo horror, se me hiela la sangre porque... ¡estoy calva!

—¡Aaaaaaaaaaaaaaaaaaaaaaaaaaaaaaaaaaaaaaaaaaaaaaa-aaaaaaaaaaaaaaaaaaaaaaaaaaaaaaaaaaaaaaaaaaaaaaaaaaaaa-aaaaaaaaaaaaaaaaaaaaaaaaaaaaaaaaaaaaaaaaaaaaaaaaaaaaa-aaaaaaaaaaaaaaaaaaaaaaaaaaaaaaaaaaaaaaaaaaaaaaaaaaaaa-aaaaaaaaaaaaaaaaaaaaaaaaaaaaarrrgggggg!

Me despierto gritando, bañada en sudor, el corazón latiéndome como una estampida de gacelas salvajes asustadas.

Ay, Dios mío, fue solo un sueño. Me toco la cara, palpo las mantas, me agarro el pelo largo y lustroso. ¿Es de verdad? Sí, sí, es de verdad. Estamos bien. ¡Qué pesadilla!

—Mi pobre pelito —digo haciendo un puchero, mientras me acerco un mechón a los labios y le doy un beso.

Okey, a lo mejor no necesito un corte de pelo. ¡No quiero arriesgarme a quedarme calva! Pero voy a cambiar, voy a enseñarle a todo el mundo que puedo ser encantadora, guapa, popular. Soy humana y necesito que me quieran, como todo el mundo... (Esto lo cantaban The Smiths, ¿no? Pues no les falta razón.)

Veo los numeritos verdes iluminados de mi despertador. Las 3:00. Típico. Odio las 3:00, es mi hora menos favorita del día. De las veinticuatro es, por mucho, la peor. Y normalmente da igual porque la pasas durmiendo. Pero esta noche no tuve tanta suerte. El año pasado leímos una novela de Ray Bradbury que se titulaba *La feria de las tinieblas* y hay una frase que dice algo así como que las tres de la mañana es la hora en la que tu cuerpo ha desacelerado tanto que está lo más cercano a la muerte de lo que estará nunca. Seguramente estoy citándolo fatal, pero lo que quiero decir es que esa información me traumó. Ahora, las 3:00 me parece una hora maldita con la que nadie debería lidiar. Sombras y quietud absoluta: me ponen la piel de gallina.

Nota mental: a partir de ahora, no estar nunca despierta a las 3:00.

Para distraerme del horror de saber que son las 3:00 y de haber creído que me quedaba calva, me levanto y empiezo a hacer abdominales en el suelo. ¡Carajo! Si pudiera tener un vientre plano como el de Darcy sería una Lele 2.0 muy feliz. Okey, empecemos con algo sencillito. Uno, dos, tres, cuatro, cinco, seis, siete, ocho, Dios, ya me cansé, nueve y diez... ¡Aaaaaarggg! Nunca más, nunca más, me muero, me muero. ¡Esto es muy duro! Me levanto la pijama a ver si se ve algún progreso.

Nada.

Bueno, igual es que el proceso es más largo, ¿no?

Me obligo a hacer dos series más de esta tortura y luego me paso dos horas buscando por internet videos de maquillaje. Resulta que hay muchas chicas en YouTube —Bethany Mota e Ingrid Nilsen son las que más me ayudan— que te enseñan a maquillarte bien.

¡Esto es exactamente lo que necesito! Me paso la hora siguiente aprendiendo cómo hacer ojos de gato y también ahumados, y labios naturales y pómulos prominentes, y luego utilizo el número de la tarjeta de crédito de mamá (me lo sé de memoria) para comprar online todo lo que necesito para la Operación Cambio de Look. Pero no intenten hacer esto en casa, ¿eh?

Para cuando sale el sol tengo los párpados más pesados que un zombi y no paro de murmurar «Está en ti, está en Maybelline» todo el rato, como en el anuncio, sin ser capaz de parar. En otras palabras, estoy delirando.

—¡Guau! ¿Pasaste mala noche? —dice Alexei al verme en clase de inglés.

Me miro en el espejito que llevo en la mochila y veo que tengo unas ojeras tremendas y que mis mejillas están hinchadas. El lanzamiento de Lele 2.0 va a tener que posponerse un poco para poder disfrutar de un muy necesitado descanso.

—Tuve una pesadilla.

—¡Ay, no! Las odio.

—Mmmmmm... —es todo lo que consigo responder.

Quiero reposar la cabeza sobre la mesa y perder el mundo de vista. Estoy demasiado cansada para que me importe si Alexei me mira con esa cara entre nerviosa y preocupada.

—Oye —dice—, ¿viste que tu último Vine consiguió veinte mil reproducciones?

—¡¿Veinte mil?! —Me despierto de golpe.

—Sí, el de «Cuando a tu mejor amiga le queda tu ropa mejor que a ti». Lo han visto veinte mil veces.

—¿Quéééééé? —Me quedo sin habla.

Miro al espacio vacío que hay detrás de la preciosa cabeza rubia de Alexei, demasiado cansada y demasiado en *shock* para organizar mis pensamientos.

Alexei se ríe.

—Parece que te vaya a dar un ataque.

—Sí —respondo—, me pasa bastante.

—Lo dije en serio el otro día, lo de hacerlo contigo.

—¿Cómo? ¿Hacer qué conmigo? —¿Acaba de decir que lo quiere hacer conmigo? ¡Guau! ¡Los chicos europeos van directos al grano!

—Lo de hacer un Vine juntos, ¿te acuerdas? —responde tan inocente.

Ah, sí. Un Vine. No hacer... lo otro... ¡Pues claro! ¡Eso sí puedo hacerlo!

—Aaah, sí, sí, me acuerdo. Pensaré algunos temas y te los comentaré.

—¡Perfecto, Lele! ¡Te lo agradezco un montón!

Me limito a asentir con la cabeza y a lanzarle una sonrisa perezosa. Tras la primera clase voy al exterior y me quedo dormida detrás de un árbol. ¡Ay, la buena vida!

10

Lo que los padres creen que es *cool* (4 004 SEGUIDORES)

*A*cepté la oferta de mamá de hacer una fiesta. Hasta la fecha, los únicos amigos que he hecho en el Miami High son Alexei y Darcy, pero me paso el viernes invitando a todos los que me parecen buena gente y le digo a Darcy que haga lo mismo. Incluso confeccionamos unas invitaciones para la ocasión con unas hojas tamaño carta de colores que encontré en una caja debajo de mi cama y que lleva delfines tecnicolor que nadan en un océano de neón multicolor lleno de corazoncitos. Me encantan los papeles de colores, ¡nunca pasan de moda!

Es sábado por la tarde y estoy practicando maquillarme ojos de gato, paso a paso, siguiendo las instrucciones de un tutorial de YouTube de una chica con acento británico aunque con un toque australiano. Suena como si un canguro estuviera intentando seducirme, algo un poco confuso, la verdad. Y encima ahora que terminé parezco más un zorrillo que un gato... Lo bueno es que solo son las 5 de la tarde, así que tengo mucho tiempo por delante para deshacer el desastre.

Llaman a la puerta. Son mamá y papá. Pues bien, que entren, no hay problema.

—¿Estás nerviosa por lo de la fiesta? —pregunta mamá como si yo tuviera seis años y estuviera esperando a los Teletubbies.

—Supongo.

—Solo queríamos asegurarnos de que tienes claras las reglas para esta noche —dice mamá.

Me quedo mirándola fijamente, sin pestañear.

—Todo lo que pedimos es que la música esté a un volumen razonable —pide papá.

—Por los vecinos... —añade mamá.

—Y que nadie beba alcohol —especifica papá.

—Pero si lo hacen, asegúrate de quitarles las llaves del coche —comenta mamá.

—Preferimos que se queden a dormir aquí antes de que conduzcan borrachos —se ofrece papá.

—Pero si se quedan a dormir aquí, déjales bien claro que no podrán tener s-e-x-o...

—¡Puaj! ¡Qué asco, mamá!

—Muy bien, entonces ¿tenemos claras las reglas? —pregunta papá cruzándose de brazos.

—Sí, claro que sí, entendido. Pero tienen que comportarse como si fueran *cool*, ¿okey? El propósito de la fiesta es mejorar mi vida social, no arruinarla por completo.

—Nosotros somos súper *cool* —dice mamá en un tono que no presagia nada bueno...

—Nosotros somos los más *cool* de entre los *cool* —añade papá.

Hago una mueca y les digo muy educadamente que SALGAN DE MI HABITACIÓN.

Tras mi segundo intento de conseguir delinear unos ojos de gato, tengo uno que apunta hacia arriba y otro hacia abajo y un montón de manchas del primer intento alrededor. Quizá no esté lista para la fiesta, pero estoy totalmente preparada para robar un banco. ¡Genial!

Bajo a la cocina por un refresco y ahí es donde descubro el horror de los horrores: mamá y papá están vestidos con un *look* muy hiphopero, pelucas y cadenas doradas incluidas, y están bailando música disco de los ochenta.

—*Cool*, ¿no? —grita papá por encima de la música. ¡Taaaxiii!

CONDUCTOR DEL TAXI: ¿Adónde, señorita?
YO: Lejos de aquí.

Soñar es gratis, ¿no?

Darcy y Alexei llegan como a las ocho y me ayudan a acorralar a los animales salvajes (véase padres) y a meterlos en su habitación para que no hagan ningún destrozo. Luego ponemos un disco de Iggy Azalea y tiramos confeti por el comedor para que brille. Darcy dice que necesitamos una mesa de *beer pong*, así que le ayudo a montar una sin muchas ganas.

—¿Qué demonios es el *beer pong*? —pregunto—. ¿Tiras pelotas de *ping-pong* en los vasos de cerveza y luego te la bebes? Parece una forma genial de contraer una infección.

Si se quieren emborrachar, ¿por qué no beben directamente? ¿Por qué hay que jugar?

—Así es más divertido. La idea es intentar hacer que el otro equipo beba más rápido y se emborrache antes —intenta explicar Alexei.

—¿Por qué? ¿Para poder ganarles el resto de la noche? Eso es abusar. ¿Y por qué no dejar que todo el mundo sea responsable y decida la cantidad de alcohol que quiere consumir?

—A ver, Lele, relájate, no es tan grave. Es solo un juego con el que la gente se divierte en las fiestas. No hace falta que seas tan dramática —dice Darcy—. Intenta ser un poco más flexible.

La historia de mi vida. Si me dieran un centavo cada vez que me dicen que no sea tan dramática podría comprar Miami y obligar a todos sus habitantes a tratarme bien.

—Bueno, por mí pueden jugar *beer pong* o como se llame hasta que salga el sol, me da lo mismo.

—¡Esa es la actitud! —exclama Alexei, quien, al ser belga, seguro no ha jugado *beer pong* nunca.

No sé si tirarle una pelota de *ping-pong* a la cabeza.

Son las nueve y media y ninguno de los veintitrés alumnos del Miami High a los que les dimos las invitaciones de colores para la fiesta ha aparecido. Darcy, Alexei y yo nos sentamos en el sofá y empezamos a soplar matasuegras y a mirar por la ventana a nada en particular.

—Solo son las nueve y media —apunta Alexei—. La gente siempre llega tarde.

—¡Si se supone que debían haber llegado hace media hora! —Yo ya perdí toda esperanza.

—Llegar a tiempo es lo peor. Llegar tarde forma parte del protocolo de cualquier fiesta.

—¿A quién invitamos?

—A todo el mundo —dice Darcy—. A todos los que conozco, vaya, tal como me pediste.

—Uf. Dicho así parece demasiada gente.

—Pues entonces quizá sea mejor que no hayan venido... —Darcy sopla su espantasuegras. Este se despliega, lleno de aire, y luego retrocede, desinflándose.

Las diez y media y seguimos solos los tres.

—Bueno —digo—, así que nadie quiso venir a mi fiesta. Soy una *loser*. ¿Y qué? Los tengo a ustedes. Y a mis padres.

Bajo la cabeza y hago como que lloro. Ser dramática no está tan mal: puede ser una manera de animarte en momentos tristes como este.

—¿Están seguras de que invitaron a alguien? —nos pregunta Alexei a Darcy y a mí.

—¡Sí! —gritamos al unísono.

—Es casi imposible organizar una fiesta un sábado en el último minuto, la gente suele tener ya otros planes.

Qué amable, Alexei, que trata de hacerme sentir mejor.

—No pasa nada, Alexei, no tienes que intentar animarme. Han pasado cosas peores en la historia de la humanidad que celebrar una fiesta y que no acuda nadie.

—No te lo crees ni tú —señala Darcy.

—Es verdad, ¡parece que no me conoces! —Rodeo el cuello de Darcy con los brazos—. ¿Qué hay peor que esto? ¡Díganme una cosa que sea peor que esta situación!

—El Holocausto —responde Darcy en tono solemne.

—Esto... Sí, Darcy, buena respuesta —digo saliendo de mi ensimismado berrinche y casi riendo—. ¡Muy buena respuesta!

Al cuarto para las once, llegan Lucy, Arianna y Mara.

—¡Ay, gracias a Dios! —suspiro aliviada. Al menos mis amigas de verdad no me dejaron plantada.

—¿Llegamos... demasiado temprano? —pregunta Arianna algo nerviosa.

Las tres están tan guapas con sus modestos vestiditos de fiesta que casi quiero saltar sobre ellas y comérmelas a besos. Así que lo hago.

—¡No! ¡No llegaron temprano!

—¿Tarde entonces? No queríamos ser las primeras para que tus nuevos amigos no pensaran que eramos unas *losers*, pero tampoco queríamos perdernos la fiesta por completo...

—Ni temprano ni tarde, es solo que ¡no vino nadie!

—Vaya, Lele, ¡cuánto lo siento! —Mara me acaricia el pelo.

—No, ¡no pasa nada! Así mis antiguas mejores amigas pueden conocer a mis mejores amigos actuales y en realidad tengo a ¡todo el mundo que quiero bajo el mismo techo en este preciso momento!

Los presento a todos y me noto hiperactiva, llena de amor hacia mis fieles amigos por un lado e intentando fingir que no tengo el corazón hecho trizas porque el resto me haya ignorado.

—Lamento que haya terminado siendo una fiesta un poco mala, pero por favor, quédense un rato —les pido—. ¡Incluso se pueden quedar a dormir!

—¡Sí! —dice Lucy—. Podemos hacernos las borrachas por beber refresco.

—¡Suena genial! —A Darcy le encanta la idea.

Así que nos atiborramos de refrescos y helado hasta que tenemos un subidón de azúcar intenso y nos ponemos a lanzar dardos a los globos y a ver cómo explotan uno por uno. La pasamos genial y al final la velada se convierte en una oportunidad extraordinaria para que todos mis amigos se hagan amigos entre sí, hasta que sin querer tiro un dardo y le doy a Arianna en toda la frente. ¡Ay! No le hago mucho daño, claro, pero ver cómo le baja un chorrito de sangre por la cara a alguien siempre suele poner punto y final al jolgorio...

Todo me sale mal, soy un desastre con patas. Ha sido así toda mi vida, desde que tengo memoria. Cuando tenía tres años, me metí un Valium de mi abuela por la nariz. O sea, no a propósito, ¿eh? No estaba intentando esnifarlo ni nada. De verdad que no sé ni cómo pasó, pero lo siguiente que recuerdo es que lo tenía atascado y no había forma humana de que saliera. Mamá tuvo que llevarme rápido al hospital antes de que la pastilla empezara a disolverse y afectara a mi pobre cerebro de bebé. Pero creo que a lo mejor me afectó un poco y por eso ahora ya es imposible que haga nada bien.

Otra pesadilla: suena el timbre de la escuela y se acaban las clases. Empiezan las vacaciones de verano. Corro por el pasillo hasta donde mis amigos (de la vieja escuela y de la nueva) me esperan, junto a mi casillero. Están encantados de verme, como es natural.

—¿Dónde te habías metido, Lele? —gritan—. ¡Te extrañamos!

—Si estaba en clase —digo—, pero ahora ¡ya estoy aquí!

Tengo que quitármelos de encima como si fueran mis fans mientras intento abrir el casillero. Pero es justo entonces cuando las cosas dan un giro inesperado: la puerta se abre y de mi casillero salen montones de libros que inundan el pasillo. ¡Maldición! Tengo que ordenar este desorden antes de meterme en problemas o, peor, de que la gente empiece a ahogarse entre sus páginas.

—¿Pueden esperarme un minuto? —les pido—. Voy a limpiar este desastre; es solo un momento, se los prometo.

Empiezo a recoger libros como una loca, pero cuando consigo meter una pila en la taquilla, otra docena sale de la misma, pero ahora en estado semilíquido, como una pasta gruesa y negra que se queda pegada a mis zapatos, los cuales, en este sueño tan raro, son nada más y nada menos que unos Louboutin, es decir, carísimos.

Cuando aparto la vista de mis zapatos, ahora destrozados, veo a mis en teoría amigos alejarse por el pasillo, dándome la espalda y riendo, todo a cámara lenta porque, ¡¿hola?!, es una pesadilla, ¿no?

Y, como no es la vida real, consigo robar un autobús justo a tiempo y los intercepto a la salida del colegio. ¡Cómo no! Quieren que los lleve. Me suplican que lo haga, pero yo les saco la lengua y me voy conduciendo con la música a otra parte. Qué madura soy cuando quiero. Lo tienen bien merecido. Pero resulta que robar el autobús tampoco fue buena idea, porque poco después de saborear mi venganza me caigo por un puente (un puente de cuento de hadas bajo el que bien podría vivir un trol) y empiezo a hundirme en un lago de agua negra como tinta y fría como el hielo. Y voy descendiendo, descendiendo, descendiendo...

Y aquí me despierto, solo que esta vez no grito. Y es que, últimamente, las pesadillas ya no me aterran, sino que son lo normal, el pan de cada día.

—Sí —digo pestañeando—. Lo mismo de siempre.

Lele está pasando una época muy oscura, amigos, muy oscura.

Me gustaría tomarme una copa, pero no tengo alcohol (y, además, todavía no tengo edad para beber), así que en su lugar me dedico a mi arte.

Sí, eso es, acabo de referirme a mis Vines como arte. ¡Y lo haré de nuevo! El arte es una manera de expresarse de forma presentable para poder lidiar con el sentimiento que conlleva ser una miserable marginada, y seguro que ha sido así desde el principio de los tiempos. Así que si tengo que seguir siendo una marginada, al menos permítanme que documente mis desencuentros y desengaños para que así todos los demás marginados no se sientan tan solos. Una vida sin ningún propósito no vale la pena vivirla... ¿No es eso lo que dicen por ahí?

Saco mi bloc de notas y desato una tormenta de ideas. Si Alexei quiere salir en un Vine conmigo, tengo que asegurarme de que sea algo genial. Algo impresionante. Con esto en mente, garabateo: «Chica abandonada por sus amigos busca venganza robando un autobús escolar... Cómo me comporto cuando mis amigos no me esperan...».

¡Ay, no, son las 2:45! Tengo que conseguir dormirme antes de que den las 3:00, porque si no... ¿que qué? ¡Que me sentiré fatal! Conquistar el mundo Vine tras Vine es una tarea muy ardua, y una chica tiene que dormir, ¿saben?

11

A veces hay que prepararse para las cosas duras de la vida
(4 661 SEGUIDORES)

Es domingo, pero no cualquier domingo; es un domingo muy importante. Incluso podría decirse que es el domingo más importante de todos los tiempos. Bueno, quizá no todo el mundo lo diría, pero yo sí, porque hoy voy a llamar a Alexei para vernos y grabar un Vine juntos.

Ya, ya sé lo que están pensando, ¿por qué estoy nerviosa? Le gusto, lo sé, y aun más, fue idea suya que colaboráramos. Pero tienen que entender que este es mi primer ligue real: nunca había notado tantas mariposas en el estómago antes de conocerlo. Sí, tuve a Harry, que deseaba que me invitara al baile de quinto (y nunca lo hizo), pero ¡esto es distinto! Ahora tengo hormonas y esas cosas, como se llamen.

Así que ahora lo apropiado es que dude de mí misma y me dé un ataque de inseguridad cada vez que su nombre aparece en mi mente. ¿Es apropiado que la chica llame al chico? ¿O tengo que esperar a que me llame él? No, fue idea suya hacer un Vine juntos, ¿no? Así que la pelota está en mi tejado, que es donde tiene que estar. ¿O preferiría que estuviera en el suyo? Cuando hablamos de pelotas en tejados, ¿queremos que la nuestra esté en el tejado contrario o que la del otro esté en el nuestro? ¡Qué complicado! La verdad es que no tengo mucha idea de cómo jugar a la pelota, así que no sabría decir... ¿De qué estaba hablando? Ah, sí, ¿espero a que Alexei me llame o lo llamo yo?

Casi me provoco un ataque de pánico de tantas vueltas que le estoy dando al asunto. Por suerte, existen millones de maneras de procrastinar, y esa es una de las cosas que mejor se me dan. Soy toda una experta. Decido matar dos pájaros de un tiro: usaré mi tiempo de procrastinación para reunir el valor que me falta para llamarle. Si tan solo supiera cómo...

Existe una única forma de distraerse con éxito del malestar y consiste en infligirse otro tipo de malestar diferente. Así que decido ¡salir a correr! Me pongo mi ropa de deporte Lululemon y me propongo dar unas vueltas a la manzana. Me sorprendo al comprobar que soy bastante buena *runner*. Es una sorpresa porque me considero la persona más perezosa de la historia, pero tengo las piernas largas y mucha energía nerviosa que quemar.

Tras una primera vuelta, las endorfinas y la adrenalina empiezan a correr por mis venas. ¡Me siento viva y quiero más! ¡Flexiones! ¡Abdominales! ¡Sentadillas! ¡Saltos! Incluso me meto al gimnasio que mi padre tiene en el sótano para levantar algunas pesas de 5 kilos (tampoco soy Arnold Schwarzenegger, no exageremos). Bien, bien, pienso, soy una mujer fuerte e independiente, y si quiero llamarle a Alexei simplemente voy y lo hago. Pero no, no estoy lista.

Sudorosa y jadeando, arranco una hoja de un bloc de notas de color amarillo que veo debajo de la caminadora y escribo una especie de guion para mí misma:

«Hola, Alexei, soy Lele. Te llamaba para ver qué hacías hoy y por si querías venir a grabar un Vine».

Lo más simple del mundo. No, ya sé que no es Shakespeare, pero estoy intentando hacer que sea lo más rápido y lo menos doloroso posible, y Dios sabe que Shakespeare más o menos tenía justo lo contrario en mente. ¿Y si no contesta? ¿Le dejo un mensaje? Y si le dejo un mensaje, ¿le digo lo mismo? Y si le dejo un mensaje y no lo recibe porque nunca escucha los mensajes de su buzón o algo por el estilo, ¿le vuelvo a llamar? ¿Y si escucha el mensaje pero decide no devolverme la llamada? Tengo tendencia a darle demasiadas vueltas a las cosas de vez en cuando. Muerdo la tapa del bolígrafo con el que escribí la nota hasta que se me queda el labio azul. Muy guapa, Lele, guapísima.

Ay, Dios, ya es casi mediodía. Si no le llamo ya, puede que pierda la oportunidad. Es ahora o nunca. Con gran esfuerzo y fuerza de voluntad tomo el teléfono y busco su número. ¿Se acuerdan de cuando había que marcar los números porque no los teníamos guardados? Yo no, creo que eso dejó de hacerse cuando tenía como cinco años. *Sssh*, silencio, que estoy llamando.

—¿Sí? —responde, la voz cansada y ronca.

—Hola, soy Lele, ¿te desperté? Espero que no, pero disculpa si sí, aunque de todos modos ya es casi mediodía, así que pensé que ya estarías levantado. No digo que seas un flojo por dormir hasta tarde, ¿eh? A ver, es domingo y quizá yo tendría que haber dormido un poco más. Pero es que no paro de tener pesadillas, así que me despierto bastante temprano y ya no me puedo volver a dormir. Quiero decir... —Se me da genial apegarme al guion, ¿verdad? ¡Dios!

—No pasa nada —ríe—. No me despertaste. Llevo rato levantado. ¿Tengo voz de dormido?

—Un poco. Quiero decir, cansado pero lindo, ¿sabes? Bueno, no, olvídalo. No importa. Oye. —Concéntrate, Lele—. Te llamaba para ver si querías venir a mi casa a trabajar en un Vine, creo que tengo algunas ideas.

—¿Ah, sí? Eso sería genial. Le dije a mi hermana pequeña que la llevaría al centro comercial, pero podría ir después, ¿qué tal a las tres?

—¡Las tres, genial! —Ay, *genial* suena un poco *too much*, ¿no? Bájame una, Lele.

—Quizá es mejor que vengas a mi casa, mis padres salieron y la tenemos toda para nosotros.

¿Quééé? Entonces, ¿quiere decir que es una cita? ¿Es eso? En serio, díganmelo, porque yo no entiendo ni tantito el lenguaje de los chicos...

—Ah, sí, bien. Envíame tu dirección en un mensaje y a las tres allí estaré.

—Perfecto, hablamos en un rato.

Cuelga. Yo cuelgo también y noto cómo se me duermen los dedos. Bien, la tarde se presenta interesante.

12

Cuando te descubren espiando
a tu amor
(4997 SEGUIDORES)

Es mediodía, lo que quiere decir que tengo unas tres horas para prepararme. Empiezo a probarme ropa. Quiero estar guapa, adorable e irresistible, pero también práctica y que no parezca que me esforcé demasiado. Me pruebo entre cinco y diez combinaciones y al final escojo unos *jeans* cortitos y un *top* blanco de tirantes (largo, nada de enseñar el ombligo, obviamente), unos Converse blancos también para proyectar un aire deportivo y casual. Si este *outfit* hablara, diría: «Hola, soy una chica relajada, pero también elegante y con clase, ¡soy todo lo que desearías en una novia!». Al menos espero que diga eso, aunque nunca sabes cuándo tu ropa va a decidir traicionarte.

Por mucho que me gustaría no tener que dedicarle ni dos segundos a mi pelo, voy a tener que domar a la bestia si quiero siquiera medio alisarlo. La artista creativa que llevo dentro me domina por un instante y toma la decisión de peinarme con trenzas para que la melena no sea un inconveniente a la hora de grabar. Llevo haciéndome trenzas casi desde que estaba dentro del vientre de mi madre, así que el proceso es impresionantemente rápido (modestia aparte) y sin contratiempos. Suspiro y pienso que ojalá todo en el mundo fuera tan fácil de dominar como hacerse unas simples trenzas, tendría mi vida tan bajo control que casi dejaría de resultar divertida y todo.

Con mis *jeans* cortos y mis trenzas tengo la impresión de que parezco Lara Croft, la de *Tomb Raider*. O, bueno, más bien el negativo de Lara Croft, la Lara Croft de un universo paralelo en el que el pelo castaño es rubio y el atuendo negro es blanco. Pero eso no es lo importante. Lo fundamental es que me veo poderosa. De hecho, incluso me siento poderosa al haber hecho ejercicio antes. Nota mental: quizá plantearme hacer ejercicio más a menudo. O, al menos, hacer ejercicio de vez en cuando. Sí, eso está mejor.

Para cuando terminé mi maquillaje (ya saben, lo de ponerse toneladas de base y *lipgloss* para conseguir un *look* natural), es casi hora de irme. Tardo veinte minutos en llegar caminando hasta casa de Alexei y para cuando llego estoy cubierta de una capa de sudor. ¿Qué haría Lara Croft?, me pregunto. A ella no le importaría un poco de sudor, seguro entraría y se comportaría como la jefa que es. Bueno, al menos eso creo yo. Para serles sincera, no he visto nunca las películas de *Tomb Raider*, solo a Angelina Jolie en los pósters en todo su esplendor y gloriosa delantera. Pero por la cara que pone en ellos, no tiene pinta de que un poco de sudor pudiera detenerla.

La casa de Alexei solo tiene un piso, pero no es pequeña en absoluto. Se extiende sobre una parcela de hierba esmeralda como si fuera un crucero en medio del océano. O más bien como un museo de arte moderno, toda geométrica y espaciosa. Lo sé, lo sé, les importa un comino cómo sea o deje de ser su casa, pero a veces está bien dar un poco de contexto a las escenas, ¿no?

Cuando llamo al timbre casi espero que me abra sin camiseta, pero desgraciadamente está vestido. ¡Y no está solo! Hay una niña pequeña con trenzas a su lado que arrastra un osito por el suelo.

—¡Hola, Lele! Esta es mi hermana, Aya. Aya, ella es Lele, va conmigo en la escuela.

—¡Tengo cuatro años! —Aya me enseña cuatro dedos.

—¡No sabía que tenías una hermanita! ¡Es divina! —Me pongo a hablar efusivamente, para variar...

—Lele es guapa y tiene el pelo bonito. —Aya le habla a la pernera del pantalón de Alexei—. Se parece a Elsa de *Frozen*.

—Divina, y encima ¡una genio! —digo—. Aya, creo que tú y yo vamos a ser muy buenas amigas.

Aya sonríe, tímida, escondiendo la carita tras su oso de peluche.

—A veces es un poco tímida —dice Alexei—. Entra, te serviré un poco de limonada.

—¡Nunca rechazo una limonada! —exclamo, e inmediatamente la frase empieza a sonar una y otra vez en mi cabeza. ¿Nunca rechazo una limonada? Nunca rechazo una limonada... Nunca rechazo... ¿Acabo de sonar como una cualquiera, sin ningún tipo de control sobre mis instintos? Ay, no, otra vez estoy sobreanalizando las cosas. Me tomaría un calmante. Si tuviera, claro.

La casa está fresca gracias al aire acondicionado. Dentro veo un caballete, en el que Aya ha estado pintando con los dedos, y también un montón de fotos de Alexei con Aya y sus padres, quienes son, ¡sorpresa, sorpresa!, muy atractivos. De verdad, esta podría ser perfectamente la familia de Barbie. ¿Cuántos años tiene su madre, veinte? Miro las fotos de reojo intentando entender el secreto de tal juventud. Alexei me sirve una limonada y se lo agradezco, pero no demasiado efusivamente, no quiero parecer una loca de la limonada en un éxtasis inducido por el inminente consumo de limonada, claro.

—Y bien —dice apoyado en el mármol de la cocina—, ¿por dónde empezamos?

—Bueno, pues primero pensamos en un escenario o situación, y luego lo representamos, básicamente. Hoy somos solo tú y yo, así que deberíamos pensar en algo simple que puedan hacer dos personas. Hace tiempo que tengo en la cabeza hacer un video sobre lo fácil que es la vida para los chicos, mucho más fácil que para nosotras.

—¡Ja! Eso es totalmente falso —dice con una mueca.

—¡Es verdad! ¡La vida es mucho más dura para las chicas!

—Sí, claro. Ponme un ejemplo. O, no, mejor ponme dos.

—Okey, muy bien, fácil. Primero, los chicos pueden orinar de pie en casi cualquier lugar. Hace dos semanas cuando caminábamos de vuelta a casa desde la escuela yo me estaba haciendo pipí, pero no pude hacer nada al respecto. Sin embargo, tú te metiste detrás de un árbol y ¡listo!

¿Qué acabo de decir? De repente, me da igual, diré lo que me dé la gana. Su sonrisa y sus brillantes ojos azules me transmiten que puedo ser yo misma, me dicen que está contento de que esté aquí con él. Rezo a Dios para estar leyéndolos correctamente y no arruinarlo...

—Está bien, está bien, en eso te doy la razón. Otro ejemplo —concede.

—¡Fácil! Ese mismo día hacía mucho calor y tú simplemente te quitaste la camiseta, pero, de nuevo, yo no pude hacer nada. Estaba acaloradísima, pero no me iba a quitar la camiseta, ¿no? No, porque soy una chica.

—Oye, si te la hubieras querido quitar yo no te hubiera dicho que no.

—¡Pervertido!

—Solo es una idea...

—¿Qué es un pervertido? —pregunta Aya. Está rodando por el suelo sobre su osito.

—¿Te acuerdas que el otro día hablábamos del mundo de los mayores? Pues esta palabra pertenece a ese mundo —le responde su hermano.

—¡Pervertido! ¡Pervertido! ¡Pervertido! —canturrea mientras da pisotones al suelo.

—Genial, a mis padres les va a encantar su nuevo vocabulario. Siempre te tienes que meter en problemas, ¿eh, Lele Pons?

Y ahí está, uno de sus gloriosos guiños, tan escasos y preciosos como un cometa.

Consigo despertar de mi ensoñación y nos ponemos manos a la obra.

Estas son las escenas del video: yo peleándome con mi pelo frente al espejo, yo intentando encontrar el modelito adecuado, yo necesitando hacer pipí desesperadamente. Alexei peinándose con una mano, Alexei tomando la primera camiseta que encuentra, Alexei haciendo pipí en unos arbustos como si nada. Luego, Alexei me da unos golpecitos en el hombro y yo, como no soporto tales injusticias, le doy un puñetazo en las pelotas, como hice cuando intentó chocarme los cinco. ¡Esto empieza a convertirse en una costumbre!

Al editar las escenas todo queda muy natural y divertido, como si Alexei y yo fuéramos viejos amigos, compañeros de fatigas, socios. Y solo se notan casi nada mis ganas locas de echarme encima de él y arrancarle la ropa con los dientes. Perdón, ¿qué? ¿Quién dijo eso? ¿Fui yo? [Lele mira a su alrededor, con aire sospechoso...].

Aya, quien ha estado observándonos filmarlo todo con mucha paciencia, quiere ir a nadar.

—A mí no me importaría darme un baño —accede Alexei—, ¿ya acabamos?

—Sí. —Subo el video a Vine y sonrío.

—¡Genial! ¿Te vienes a nadar con nosotros? Hay una alberca en la parte de atrás.

—¿Yo?

—Sí, tú. Sabes nadar, ¿no?

—Ah, sí, claro, es que no traigo traje de baño ni nada, ¿sabes?

—¡Ponte uno de mami! —grita Aya—. ¡A na-dar, a na-dar, a na-dar!

—¡Bien pensado, Aya! Mi madre tiene trillones de trajes de baño y bikinis. Te busco uno.

—Bueno... —¿Estoy preparada para que Alexei me vea medio desnuda? ¡Ayyy!

—Vamos, será divertido. No quiero que te vayas todavía. Me gusta tenerte por aquí.

—¡De acuerdo, entonces! ¡Me apunto!

Me pongo roja como un tomate maduro y espero a que haya desaparecido por el pasillo para esconder mi cara encendida entre mis manos.

Ahí están, esos abdominales esculpidos en puro bronce, tostándose al sol. Alexei se está cubriendo de protección solar como si no hubiera un mañana —abdominales, brazos, cuello, pecho— mientras lo observo desde la ventana del cuarto de baño e intento enfundarme en el minúsculo bikini de licra de su madre, o sea, de Barbie Miami. El cierre del escote del bikini es ajustable para que enseñes lo que quieras enseñar, pero yo tengo que dejarla casi abierta del todo si quiero que me quepa el pecho ahí. ¡Estoy desbordada! ¡No puedo salir así! ¡Es obsceno! ¡Pornográfico!

Alexei, por su parte, parece recortado de un catálogo de Abercrombie & Fitch, una belleza clásica, escultórica. Apoyo la barbilla en la ventana del baño para observarlo inflándole a Aya un par de flotadores. Empiezo a soñar despierta: Alexei es mi marido y esta es nuestra casa; Aya es nuestra preciosa hijita que está aprendiendo a nadar, chapoteando alegremente, todo salió como debía, la vida lo puso todo en su lugar, encontré a mi príncipe azul y... ¡POR EL AMOR DE DIOS! El padre de Alexei aparece delante de la ventana y me descubre espiando a su hijo. Salto hacia atrás, grito como un mono y me caigo de nalgas. El sueño se desvanece; el hechizo se rompe. Una vez más, soy un chiste. Y no me queda otra más que reírme.

13
3 formas de saber si alguien es latino
(5 000 SEGUIDORES)

*U*na pregunta rápida: ¿quién demonios decidió que el *frisbee golf* era un deporte? El golf en sí apenas lo es, pero si lo mezclas con un disco aerodinámico y brillante, cualquier ilusión de legitimidad o prestigio saltan por la borda. Es una actividad para mayores, para los que están seniles, para aquellos a los que se les acaba de practicar una lobotomía y, por lo visto, también para los chicos del colegio. La entrenadora Washington nos tiene intentando cazar estos platillos voladores por todo el campo de futbol durante los endemoniados cuarenta y cinco minutos que dura la clase de educación física. Y el panorama es de risa trágica.

En caso de que estén mortalmente aburridos y les dé por probar, se juega así: tiras el *frisbee* en dirección a una banderita, que se supone que representa un agujero. Intentas acercarlo lo más posible a la bandera en el mínimo de tiros, y luego apuntas el número de intentos con un marcador naranja y pasas a la siguiente bandera. Y a la siguiente. Al final del juego, quien haya realizado el menor número de tiros en total, gana. Creo.

No estoy segura y como tampoco lo estoy de querer seguir las reglas del juego porque me importa un rábano y porque en cuanto empiece a prestar atención al juego me daré cuenta de lo que estoy haciendo y ya no habrá vuelta atrás, ya no podré ser alguien que nunca ha jugado *frisbee golf* porque me daré cuenta de que ya he jugado *frisbee golf*.

La entrenadora Washington no deja de gritarme:

—¡Lele! ¡Lo estás haciendo todo mal! ¡Es como el golf normal, pero con un *frisbee*, no es tan complicado!

Como si eso significara algo para mí. Lo siento, pero ¿te parezco Tiger Woods? A lo mucho podría hacerme pasar por una de esas supermodelos rubias con las que sale, y después de casi media hora de *frisbee golf* de verdad que no me importaría largarme de aquí en el súper coche de un deportista de élite...

Bueno, lo crean o no, esta historia no trata de *frisbee golf*. Trata de lo que pasa después de jugar *frisbee golf*, en el vestidor, mientras nos quitamos estos equipos fluorescentes tipo extraterrestre con visión nocturna para ponernos nuestra ropa normal. Abro mi casillero y justo suena mi teléfono. Olvidé ponerlo en vibración. Y, como soy quien soy, no puedo tener uno de los tonos normales que vienen con el iPhone (ya saben, Sencha, Ripples, By the Seaside, Default...), sino que tiene que sonar *Gasolina*, de Daddy Yankee. Para los que no la conozcan, esta canción es rápida, con mucho ritmo, y repite «A ella le gusta la gasolina (dame más gasolina), cómo le encanta la gasolina (dame más gasolina)» todo el tiempo. En el mundo de

Daddy Yankee, también conocido como Puerto Rico, gasolina puede referirse a la vida callejera o a un cóctel elaborado con ron y jugo de fruta... No está claro a qué gasolina se refiere la canción.

Sí, ese es mi tono de llamada. Parece que no puedo ser normal por mucho que lo intente. Así que el celular se dispara y está muy alto, y todo el mundo me mira con cara de *whaaat?* Todo el mundo excepto Yvette Amparo. Pues sí, Yvette Amparo, mi némesis, mi bestia negra, no me mira, porque está demasiado ocupada bailando al son de mi tono de reguetón. Le gusta; lo entiende. ¡Dios! A lo mejor no somos tan diferentes, después de todo.

Entonces, todas la miran a ella en lugar de a mí. Las chicas no saben dónde meterse, es como si una jirafa del zoológico se hubiese puesto a, no sé, ¿qué sería raro que hiciera una jirafa? Una jirafa del zoológico bailando reguetón sería raro, ¿no? Pues eso mismo.

Al ver que todas la miran, se detiene.

—¿Qué pasa? —pregunta con esa confianza tan propia de las chicas populares—, ¿la latina no puede bailar un poco de reguetón?

—¡Oye! ¿Tú eres latina? —pregunto.

No lo sabía, pero, claro, en Miami, ¡uf! Hay montones de nosotros por aquí.

—De Puerto Rico, obviamente. —Enmarca su cara con las manos, en plan diva—. ¿De dónde creías que era el apellido Amparo, japonés?

—No, pensaba que eras un demonio y ya. —¡No puedo creer que haya dicho eso!

—¡Eres tremenda! —dice, y se echa a reír. ¡En serio! ¡Se ríe!

—No, soy venezolana, ja, ja —me sale de golpe—. No puedo creer que las dos seamos latinas.

—¡Calla! —me dice—. Ese culito tuyo tan flaco parece sueco.

—¡Oye! —respondo—. Primero, gracias por llamarme flaca. Pero segundo, ¡tengo el culo gordo!

Me volteo y se lo demuestro, meneándolo arriba y abajo. Menear, bueno, hacer *twerking* yo... ¡¡jamás!

—Hablas en serio, ¿eh?

—SIEMPRE —digo, y las dos nos reímos.

—¿Vas a hacer un Vine sobre esto? —me pregunta.

—¿Has visto mis Vines? —pregunto a mi vez, sorprendida.

—¿Estás bromeando? ¡Todo el mundo los ha visto! Eres muy graciosa, y ahora que sé que no eres una perra, ya puedes caerme bien, como al resto de la humanidad. Ah, y me gusta tu nuevo *look*, por cierto. Muy sofisticado.

¿SABEN LO QUE QUIERE DECIR ESTO? Quiere decir que los cerdos vuelan, que el infierno se congeló, que los higos se han convertido en brevas, que los sapos bailan flamenco y que los peces nadan... bueno, lo entienden, ¿no? Lo impensable se convirtió en realidad: Yvette Amparo y yo mantuvimos una conversación que no tenía como propósito destrozar la vida de la otra. Por primera vez en la vida, creo de veras que no hay nada imposible.

Imaginen lo diferentes que hubieran sido estos primeros meses de clase de haber sabido que Yvette y yo teníamos esta pequeña cosilla en común. ¿Sería políticamente incorrecto que todos lleváramos una plaquita en la que se indicara nuestra raza? Supongo que la respuesta es sí.

Por suerte, en mi experiencia, para saber si alguien es latino solo hay que buscar estas tres señales tan reveladoras.

REGUETÓN

El reguetón no siempre fue lo primero de esta lista, pero ha escalado posiciones desde que consiguió desvelar que Yvette era latina y se convirtió en una especie de bandera de la paz. Por lo que he observado, si no eres latino no entiendes esto del reguetón. Bueno, yo casi no lo entiendo tampoco, seguramente porque no es algo que haya que entender, sino más bien sentir, una excusa para dejar de pensar, para perder el mundo de vista. Cuando una persona no latina te ve meneándote al ritmo del reguetón hacen como que no te miran, como si estuvieras quebrantando la ley por divertirte un poco y quisieran asegurarse de no formar parte de tal desmadre. Si te invitan a una boda de las nuestras, te ahogarás en un mar de señoras latinas desbocadas, sin ningún tipo de vergüenza. Como debe ser.

LA BOFETADA DE TELENOVELA

Las telenovelas son un arte en el que los latinos interpretan escenas dramáticas totalmente frenéticas en las que exageran cada sílaba de cada palabra para nuestro divertimento. Se matan los unos a los otros por dinero, se acuestan con los maridos/hermanos/padres/hijos de los demás y llevan suficiente maquillaje como para pintar una ciudad entera: en otras palabras, es la telenovela para la señora latina (o el señor, si le gusta ese rollo. Ahí, cada quien...).

Como podrán imaginarse, con todas esas elaboradas puñaladas traicioneras por la espalda, también hay un montón de bofetadas. Puedes identificar a una chica latina a la distancia por su valentía y por su capacidad de abofetear a cualquier perra que se meta con ella. No importa quién seas, chico, chica, feo, guapa, héroe, villano, cuando te cruces con una latina, te vas a llevar la bofetada igual.

GROSERÍAS A TODO PULMÓN

Los chicos y chicas latinas son más, digamos, expresivos que el resto de la gente. Sentimos las cosas más profundamente y no nos da vergüenza demostrárselo al mundo. Por ejemplo, si tu madre te llama para que vuelvas a casa cuando la estás pasando súper bien con tus amigas, seguro empiezas a soltar groserías a todo pulmón a través del teléfono, sin importarte quién pueda haber a tu alrededor escuchando. Y sí, los latinos sentimos mucho respeto hacia nuestros padres, pero eso no quiere decir que no podamos decirles palabrotas. En nuestra cultura, en el momento adecuado, una ronda de maldiciones en voz alta es simplemente una forma de relacionarnos entre nosotros. Otras veces, si el momento no es el adecuado, con solo maldecir dos veces delante de mi madre lo más probable es que me dé un bofetón de telenovela.

Pues aquí la tienes, la guía oficial de Lele Pons para identificar a un ser humano de origen latino. Por supuesto, solo porque puedas identificar su latinidad no quiere decir que automáticamente sepas qué clase de latino es. México, España, Venezuela, Guatemala, Puerto Rico, Costa Rica, Argentina... y la lista continúa. Un latino o latina puede ser de cualquiera de estos lugares, y será mejor que no intentes adivinar cuál si no estás seguro, porque puedes quedar fatal y además te arriesgas a llevarte un buen bofetón de telenovela tú también. Avisado quedas.

No digas que no, no digas que no te avisé, como canta Taylor Swift (la persona menos latina del planeta).

—¡No vas a creer lo que pasó hoy en clase de educación física! —le digo a Alexei cuando me llama más tarde esa noche—. Yvette y yo nos dimos cuenta de que las dos somos latinas y ahora ya no nos odiamos.

Le ha dado por llamarme bastante a menudo desde que filmamos nuestro primer Vine, solo para decirme hola o contarme algo divertido que se le ocurrió que podríamos filmar. A veces dice que solo tenía ganas de oír mi voz, lo que suena bastante íntimo si les digo la verdad.

—Así que ¿ahora le caes bien porque no eres una chica blanca como las demás? Suena un poco racista.

—Bueno, sí, un poco. Es más bien elitismo racial.

—Ya, claro.

—Pero bueno, eso da igual. Lo importante es que ahora tenemos que filmar *3 formas de saber si alguien es latino*. ¿Puedes venir en, no sé, una hora?

—¡Claro!

—¡Genial! ¡Me encanta tu entusiasmo! Ah, Alexei, otra cosa.

—Dime.

—Prepárate para que te abofetee.

Catorce tomas del bofetón de telenovela más tarde, Alexei tiene una bolsa de hielo contra la cara e intenta aguantarse las lágrimas. Es un campeón, lo da todo por el equipo.

14

Y ese fue... el principio de una amistad (5 722 SEGUIDORES)

¡*D*iciembre! Mes de alegría y solidaridad, lleno de posibilidades y de nieve falsa y *spray* blanco en el que hay que hacer cola en el centro comercial para que te fotografíen junto a un señor viejo y gordinflón que seguro es un pervertido que lo perdió todo en el juego. Y no, no me refiero al tío Freddy, que va a pasar todo el mes en Miami con su mujer y sus tres hijos. Diciembre es el mes de Santa Claus, se lo merezca o no.

Pensarán que porque tengo dieciséis años ya no me tocará soportar todo el rollo ese de vestirme de blanco y esperar cuarenta y cinco minutos en la cola para obtener mi fotografía anual con el señor Santa, pero, ¡pobrecitos! Se equivocan. El tío Freddie y la tía Sylvia y sus niñitos Kyle, Suzie y Johnny están de visita y el espíritu navideño está preternaturalmente por las nubes. «Preternatural» es un vocablo que aprendí el otro día en clase y que quiere decir «supernatural» o «más allá de lo natural». Entonces, ¿por qué no decir simplemente supernatural?, se preguntarán. Pues porque preternatural suena muuucho más *cool*, ¿no? Además, tampoco hace daño a nadie que la consideren la más lista del grupo. No soy una *nerd*, ¿okey? Solo estoy trabajando en mi nueva faceta mística y sofisticada. Lele 2.0, lanzamiento previsto para 2017.

Pero bueno, a lo que iba. Estoy en la fila con el tío Freddy y compañía, con los niños en pleno subidón de azúcar por los ositos de gomita que se tragaron y los mayores medio borrachos tras no sé cuántas copitas de vino blanco. Así que estoy rodeada de idiotas por todas partes. Idiotas adorables, mis idiotas adorables, pero idiotas al fin y al cabo. Y, encima, se ponen todos a contar unos chistes espantosos...

—¿Qué beben los pingüinos? Licor del Polo —espeta Johnny, sin dejar tiempo para que adivinemos el desenlace del chiste, ni tan siquiera para que nos demos cuenta de que nos estaba haciendo una pregunta.

—¿Qué diferencia hay entre tu madre y una bola de boliche? —se lanza mi tío—. Que en una bola de boliche puedes meter...

—Freddy, por favor, hay pájaros en el alambre —lo regaña la tía Sylvia.

—Pero si son tan pequeños que ni se dan cuenta...

—Mejor dejamos los chistes picantes para otra ocasión.

Me llevo la cara a las manos para intentar imaginar que estoy en otro lugar. En la playa con Alexei, por ejemplo, y unos meseros con trajes de baño súper ajustados nos sirven piñas coladas. Me abanican, me dan de comer uvas; llevan tatuado «Lele es mi reina» en el pecho. Abro los ojos y, para mi completa frustración, sigo en el centro comercial de Palm Beach con el clan Pons completo, todos ataviados con una combinación de prendas verdes y rojas. Yo traigo puesto un vestido de poliéster rojo con grandes botones verdes en las tiras de los hombros y con una camisa blanca de mangas abullonadas debajo. Hago lo posible para mantener la vista fija en el suelo, intentando pasar desapercibida, pero mis esfuerzos son en vano.

—Puaj.

Levanto la mirada y veo a una chica de mi edad con un vestido de leopardo, melena inmaculadamente lisa y brillo de labios color rosa chicle. Me mira con cara de asco como si fuera una leprosa.

—Disculpa, ¿te diriges a mí?

—Sí —dice—, dije puaj porque tu *outfit* es horroroso.

—¡Perra!

—¡Corriente! —Esta voz sale de la garganta de una tercera persona.

Me volteo y veo a (¡caray!) Yvette Amparo con (¡madre mía!) su familia, con la mirada fija en la chica leopardo como si la fuera a fulminar allí mismo.

—¡Yvette! ¡No te había visto! —digo, preguntándome cuánto tiempo llevan ella y su familia tan cerca de la mía.

—¿Vas a dejar que te hable así? Oye, Leopardo, ¿quién te crees que eres? ¿Crees que puedes ir por ahí comentando los *looks* de los demás como si supieras de qué demonios hablas? Traes estampado de leopardo, hija, y eso no dice mucho de ti. Por lo que a mí respecta, con esa pinta eres de las personas menos calificadas del mundo para ir por ahí despotricando de los estilos ajenos, y seguro que de todos modos nadie te pidió tu opinión, así que, *ciao, pescao*, regresa a tu jaula de zoológico con los demás felinos. —Yvette le enseña las uñas a la chica leopardo, quien se ve ahora tan asustada como un venadito ante los faros de un coche, toda ojos deslumbrados y patitas temblorosas.

Yo estoy alucinando.

—Gracias, esto... No sé qué decir... Fue muy amable de tu parte.

—Nadie te puede hablar así, solo yo, ¿okey?

—Jajaja, ¡qué perra!

—¡Pendeja!

Ambas reímos, y nuestros padres nos miran raro.

Me pongo a soñar despierta y me imagino que Yvette y yo nos vengamos de la chica leopardo. Sin piedad, la atamos a un árbol, luego la enrollamos en una alfombra y de fondo se escucha la canción *Do You Believe in Magic?* de los Lovin' Spoonful en repetición. Ay, creo que encontré una pequeña zona de confort en mi cabeza.

—Lele. ¿Lele? —Mamá me devuelve de golpe a la realidad—. ¿Quién era esa chica? ¿Es amiga tuya?

—Sí —digo, pensando en Yvette—. Creo que sí.

15

Nadie les cree nunca a los niños en las películas de miedo / Cómo te despiertan los niños en Navidad (5 892 SEGUIDORES)

*P*ues parece que Yvette no es tan mala. A veces tu mayor enemiga es la persona que más se te asemeja. Yvette se vio reflejada en mí y le entró el pánico, pensando que esta ciudad no era lo suficientemente grande para las dos, muy cinematográfico todo, ¿verdad? Odiamos las mismas cosas y a la misma gente, y la verdad es que es la persona más lista y graciosa que conozco, aparte de mí, claro está. Así que ¿qué más da si tiene sus manías? Yo tengo las mías, si les soy sincera. Creo que si unimos fuerzas vamos a ser invencibles. Organizaremos fiestas de las que la gente hablará durante meses e inventaremos un lenguaje secreto para que nadie pueda descodificar nuestros mensajes. Todos los chicos del colegio querrán ser nuestros novios y todas las chicas querrán ser como nosotras. ¡Dios! ¡Incluso las chicas querrán ser nuestras novias y los chicos ser como nosotras! Seremos unas verdaderas líderes: primero tomaremos Miami, y luego el mundo.

Pero de momento estamos en plenas vacaciones de Navidad y estoy más que encantada de no tener clase. Aunque no estoy descansando mucho con el tío Freddie y su banda por aquí, acampando en la casa y yendo arriba y abajo como ratones enjaulados. Intento pasar tanto tiempo en mi habitación como me dejan. Ideé una cerradura con candado y un brazalete para convertir mi cuarto en un santuario recluido donde puedo dormir, comer y grabar Vines. Quizá no tenga un aspecto muy profesional, pero es mi oficina, mi estudio y el lugar en el que ocurre la magia.

En unos años, mi casa será un museo y mi habitación estará protegida con un cordón de terciopelo rojo, y un guía se detendrá ante ella y dirá: «AQUÍ es donde Lele pensaba los guiones que luego grababa y subía a Vine. Algunos afirman que fue la mayor genio de su generación...». De verdad, chicos, un día lo dirán.

Pero hasta entonces, tengo que compartirla con mi primito Johnny, de cuatro años, que duerme en la cama que hay debajo de la mía.

Johnny es un amor, pero me da un poco de miedito también. Me recuerda a uno de esos niños de las películas de miedo que por algún motivo es el elegido dentro de la familia para mantener el contacto con el más allá, con lo supernatural o, perdón, con lo preternatural. Siempre está en guardia, con la mirada fija en la pared, donde ve cosas que nadie más puede ver. Yo creo en los fantasmas, así que todo lo que tiene que hacer este niño es quedarse mirando el vacío con esa mirada soñadora y perdida para que yo llegue a la conclusión de que la casa en la que vivimos está, efectivamente, embrujada.

Siento un montón de empatía por los niños de las películas de terror: nadie, NUNCA, los toma en serio. Me identifico totalmente con ellos. Así que cuando vuelvo de mi sesión de *running* matinal y me lo encuentro sentado en la cama con las manos sobre los ojos, le creo cuando me dice que hay algo en el clóset.

—¿Qué pasa, Johnny? ¿Qué hay en el clóset?

—Es un monstruo. Tiene el pelo negro y la cara negra. —Se esconde tras una almohada, los ojos cafés llenos de terror.

—Bien, vamos a ver.

Tomo un bate de beisbol para que vea que me lo tomo en serio, abro el clóset y echo un vistazo. Nada. Nada más que una desorganizada pila de zapatos y algunas prendas de ropa por encima. No se me da muy bien esto del orden.

—Mira, no hay nadie. Estás a salvo. —Me regreso para mirarlo—. Yo estoy de tu lado, te creo, quería que hubiera un monstruo ahí para que saborearas la victoria de tener razón por una vez en la vida y que alguien te creyera. Lamento que no haya podido ser.

El niño empieza a chillar, madre del amor hermoso, y a señalar a un punto a mi espalda.

—¡Detrás de ti! —grita—. ¡Está ahí!

—¿Qué? ¿Dónde? —Me volteo para ver la bola de ropa y zapatos del armario—. Johnny, ¿es esto lo que ves? Supongo que la pila puede parecer un monstruo...

—¡No! ¡Tiene la cara negra y el pelo negro! ¡Y cuando me miras vuelve a salir!

—Johnny —me giro para mirarlo—, ¿me estás tomando el pelo? No hay...

Y entonces las noto. Dos manos viscosas tomándome por los tobillos. Intento correr, pero es demasiado tarde. Las manos me arrastran hacia el interior del armario. Trato de aferrarme a la alfombra, a cualquier cosa, pero soy abducida hacia las profundidades de la casa y más allá, hacia el abismo del Hades.

LOL. Estoy bromeando, ¡claro! ¿No les había dicho ya que tengo una imaginación muy activa?

Tener niños cerca ya da bastante miedo de por sí sin necesidad de ningún monstruo de por medio. En serio, ¿qué pasa con ellos? Tienen que comer todo el tiempo, gritan un montón y se suben por todas partes, les dan risa las cosas más tontas y NUNCA se cansan. No entiendo cómo lo hacen, pero si no los obligaras a acostarse, creo que no se irían a la cama nunca.

Y nada les da un golpe de energía más intenso que la Navidad. NADA DE NADA. Anoche, Johnny y Kyle y Suzie estuvieron despiertos hasta las dos de la madrugada esperando a Santa Claus, y ahora me están golpeando la puerta gritando: «¡REGALOS! ¡REGALOS! ¡REGALOS!». Son las seis de la mañana, me importan una m***da los regalos. Son las seis de la mañana, no saldría de la cama aunque Alexei estuviera aquí, esperándome bajo el muérdago, cubierto de fresas y crema batida, completamente desnudo excepto por un gorrito de duende. Bueno, entonces quizá sí que me levantaría.

La familia Pons tiene dos tradiciones familiares. La primera, ya se las he dicho (centro comercial, fila, esperar a tomarse una foto con Santa con un estilo súper vergonzoso). La segunda es exponencialmente más adorable, y es algo que espero con avidez. No sé de dónde eres tú, lector, ni si tus navidades están bendecidas con blancas mañanas nevadas, pero yo tengo más posibilidades de ver nieve en el infierno que aquí en Miami. Bueno, eso es una exageración, teniendo en cuenta que el infierno es un lugar ficticio (en principio) y que hace treinta y seis años nevó en Miami. Pero bueno, en Nochebuena, la familia Pons se sienta a la mesa y hace cadenas de copos de nieve de papel para colgarlas por toda la casa. Y no me refiero a ocho o nueve copos de nieve aquí y allá, digo cientos y cientos, todos cubiertos de pegamento con diamantina para darles ese destello característico de las mañanas nevadas. Nos quedamos despiertos hasta tarde tomando sidra caliente y apostamos a ver quién se quedará dormido el primero. Al primero que se duerma le pintamos la cara (pero solo cosas para todos los públicos, nada de penes), y el que gana la apuesta es quien hace el dibujo. Quien aguante despierto más tiempo es quien esconde los regalos por toda la casa y se muere de risa cuando los demás intentan encontrarlos. Es una tradición un poco rara, sí.

Este año, como a medianoche, mamá dice:

—Voy a descansar un momento.

—Sí, claro, claro, tómate un respiro, mujer —la animo, porque aposté que ella iba a ser la primera en caer en los brazos de Morfeo.

Cierra los ojos y a los pocos segundos ya está hablando en sueños. Y las conversaciones que mantiene dormida mamá son de un nivel increíble:

—No olviden apagar los coches eléctricos —murmura, y luego—, ¿es la de las montañas rusas? —El resto nos reímos tanto que nos duelen los costados.

Como a las dos de la mañana llego al límite de mi capacidad hacedora de copos de nieve de papel, así que le echo una manta encima a mamá y (con mucho amor) le dibujo un muñeco de nieve en la mejilla izquierda (me queda súper adorable, modestia aparte), para luego meterme a la cama y caer en un profundo y placentero sueño al instante.

—¡Lele! ¡Lele! ¡Lele! ¡Levántate! ¡Regalos!

—¡Fuera de aquí! —Me cubro la cabeza con una almohada para intentar no oír los gritos. ¡CRASH! Los niños rompen mi intento de candado y se meten a la habitación cual animales de la jungla. Johnny y Kyle saltan sobre mi cama mientras Suzie se planta delante de mi cara y grita:

—¡¡¡¡ES NAVIDAAAAAAADDD!!!!

Lo siento, pero ¿qué les dan de comer a estos niños? ¿Cocaína? Nunca pensé que diría esto, pero creo que tengo ganas de volver a clase. Adoro a mi familia, pero aprendí una lección de vital importancia estas vacaciones de Navidad: también me da mucho, mucho miedo.

16

Y la pubertad la golpeó como... (600 000 SEGUIDORES) (¡¡¿¿QUÉ??!!)

*C*hicos, no lo van a creer, pero salí a correr CADA DÍA DE LAS VACACIONES DE NAVIDAD. Fueron como una especie de refugio: me acurruqué en mi cueva para hibernar cual gusano que planea despertar, disculpen que lo diga así, convertida en una PRECIOSA MARIPOSA. Hice ejercicio, tomé el sol, me hice reflejos en el pelo, fui de compras un par de días y, lo mejor de todo, ¡ME QUITARON POR FIN LOS *BRACKETS*! Ya casi se me había olvidado cómo me veía antes de que pareciera que una colonia de robots había invadido mi boca. ¿Me creen si les digo que mis abdominales están casi tan planos ahora como los de Darcy? Me puedo poner un *crop top* como si fuera una estrella de pop y nadie me lo va a impedir. ¡Aleluya!

Ah, y después de que Cameron Díaz compartiera mi post sobre «3 formas de saber si alguien es latino» en su cuenta, pasé de tener seis mil seguidores a ¡seiscientos mil! Todavía no sé cómo demonios procesar esa información. No paro de recibir llamadas en las que la gente utiliza palabras con las que estoy poco familiarizada, como «contrato» y «patrocinio» y «representación» e «imagen de marca»... ¿Necesito contratar a un mánager? ¿Quién me iba a decir que tener tantos seguidores iba a ser tan complicado? Cómo me gusta lo bien que suena eso: un montón de seguidores... Es como si fuera la líder de una secta o algo así.

En nuestro primer día de clase, me presento con un vestidito cañón de Brandy Melville y tacones de color beige de Korkys. Pasé al siguiente nivel y todo el mundo se dio cuenta. Durante la primera hora, en inglés, no paro de descubrir a otros mirándome, pero por un motivo muy diferente al que los hacía mirarme antes. Ahora ven algo que les gusta y necesitan más. ¡Ja! Eso es, perras, les dice mi sonrisa, la *freak* es toda una señorita.

—¡Lele! —Alexei me para después de clase—. Estás... súper sexy.

Se me queda la boca abierta mientras lo veo alejarse.

Cuando llega la hora de educación física, me preocupa que con el equipo deportivo se arruine la magia de mi nuevo *look* (¿cómo voy a ser capaz de quitarme este vestidito negro cuyas aberturas laterales muestran de forma casual y muy convenientemente las curvas de mi cintura?), así que le digo a la entrenadora Washington que me duele un montón la panza y me deja sentarme en las gradas. Qué maravillosa hora paso allí: sentada sin una preocupación en el mundo y viendo a las otras dar vueltas a la pista de atletismo. Todas están sudadas y horrorosas, mientras yo sigo siendo la reina del mambo, con el pelo ondeando al viento y muy por encima de la pobre plebe. Me siento como si estuviera en lo alto del Monte Olimpo; como si estuviera en una película.

Yvette y sus secuaces pasan por delante de mí corriendo y ella se detiene un instante para recuperar el aliento.

—Ojalá te viera hoy la perra esa del centro comercial con el vestido que llevas, Lele, se daría un tiro.

—Exageras un poco, pero gracias. Acepto tus amables palabras. —¿«Acepto tus amables palabras»? En serio, ¿cuándo voy a aprender a hablar normal con la gente?

—Vaya que eres rarita, Lele —dice—. ¿Quieres comer con nosotras hoy?

—¿Quién, yo? ¿En serio?

—Claro, ¿por qué no?

—¿Puedo llevar a Darcy?

—Sí, está bien. Darcy me cae bien.

—¡Genial!

—Nos vemos en la puerta principal y luego vamos a Tommy's Pizza.

—Nos vemos ahí.

—Perfecto, nos vemos —añade—. Ah, los miércoles vamos de rosa. —Me guiña un ojo de esa forma tan *cool* y confiada suya que me da tanta envidia.

El primer día de clase después de las vacaciones está resultando bastante memorable.

—No puede ser —me dice Darcy con los ojos como platos. Caminamos juntas hacia la puerta principal y no es capaz de esconder lo emocionada que está—. Tienes que estar bromeando.

—Que no, Darcy, que no estoy bromeando. Vino y nos invitó a comer con ellas.

—Fuera del campus.

—Correcto.

—Vamos a comer con Yvette Amparo fuera del campus.

—Correcto de nuevo.

—¿Tú sabes lo raro que es esto? Yvette Amparo y su pandilla nunca invitan a nadie a comer fuera del campus.

—Ah, sí, ahora que lo dices, ¿su pandilla tiene algún nombre? Me refiero a que si se supone que son un grupito popular tienen que tener un nombre de grupo, como las Divinas o las Damas Rosas o las Pequeñas Mentirosas o algo así, ¿no?

—Mmm... Creo que no tienen. A lo mejor deberías sugerir tú uno y así nos invitarían a pertenecer a la pandilla para siempre.

—Puede...

—Es tan raro que te haya invitado, a ti, ni más ni menos. Pensaba que te odiaba.

—Bueno, ahí está el detalle, sí me odiaba. Y yo a ella. Y entonces nos dimos cuenta de que nos odiábamos por lo similares que somos. O al menos eso es lo que yo creo que pasó. Además, a mí no se me da muy bien eso de guardar rencor.

—Supongo que cosas más raras se han visto —dice Darcy colocándose bien las trencitas que se acaba de hacer en el pelo.

Yvette y las Súper Cuatro (obviamente, el nombre es temporal mientras encuentro uno mejor...) parecen un ejército esperándonos a las puertas del colegio. Todas van vestidas de negro y llevan el mismo maquillaje de ojos de gato aplicado con mano experta. Los ojos de Yvette podrían cortar el hielo, ¡menos mal que ahora la tengo de mi lado!

—Hola, Lele. Qué tal, Darcy. ¡Qué bien que vinieron! Va, larguémonos de aquí.

Yvette va a la cabeza y dirige el grupo hacia fuera del campus. La seguimos por Fourth Street hasta la esquina de Ocean Avenue, donde está Tommy's Pizza, un oasis abierto las 24 horas y 7 días a la semana en medio de este desierto infernal que es el colegio. Emily, Cynthia, Maddie y Becca se agrupan y sólo hablan entre ellas. Todas piden Coca-Cola Light y nada más. Ah, okey, es ese tipo de comida, ya entendí. Uf.

—¿No se alegran de que se haya acabado el *frisbee golf?* —pregunta Yvette una vez que estamos afuera con nuestras bebidas.

Cynthia enciende un cigarro.

—¡Un montón! —digo—. Aunque seguramente ahora tendremos que participar en algún otro deporte igual de humillante. Cuando llegue la temporada de natación voy a extrañar el maldito *frisbee golf.*

—¡Ay, Dios! —ríe Yvette—, ¡tienes toda la razón!

Una camioneta llena de chicos pasa por delante de nosotras y todos nos silban y nos dicen unas obscenidades demasiado obscenas hasta para una peli porno. ¡Si sus madres los oyeran...!

—Los hombres son unos cerdos —dice Becca—. No merecen compartir este planeta con nosotras.

Las demás chicas se ríen.

—¡Amén, hermana! —exclama Cynthia exhalando el humo.

—Por favor, no me eches el humo en la cara, Cynthia —le pide Yvette—, me acabo de hacer una limpieza.

—Perdón —murmura Cynthia, volteándose.

—Hablando de hombres —Yvette enlaza los dedos de las manos y apoya la barbilla encima—, ¿qué hay entre tú y Alexei? Vi el Vine que hicieron juntos, qué lindos. ¿Están saliendo?

—Este, eh... —Me quedo congelada, nunca había hablado con nadie de Alexei—. No, no estamos saliendo. Solo somos amigos.

—¿En serio? Parece que tienen una relación súper íntima —dice Yvette.

—Nos vemos bastante, pero no parece que la cosa vaya a ninguna parte... Una vez me dijo que le gustaba, pero...

—¿Te dijo que le gustabas? —Los ojos de Yvette casi se le salen de las órbitas. ¿Es TAN RARO que le guste? A ver, tampoco soy tan fea.

—Sí.

—Ay, Dios, Lele, ¡le encantas! —Yvette lo dice gritando.

—¿Tú crees?

—Conozco a los hombres, Lele, confía en mí. Tienes que salir con él. Totalmente.

—Bueno, no me ha pedido que sea su novia ni nada, así que no sé yo...

—Los hombres siempre están confundidos —dice Cynthia—. No tienen ni idea de lo que quieren.

—¿De verdad creen que Alexei Kuyper cuenta como hombre? —pregunta Maddie—. Si no es más que un niño...

—¡Es todo un hombre! Creéme... —añade Becca en un tono que me da náuseas. Las otras se ríen. Puaj.

—Ya vendrá —sonríe Yvette, casi con malicia. —Sobre todo ahora que estás tan endemoniadamente sexy, si no te importa que te lo diga.

—Claro que no me importa —le suelto—. Dímelo otra vez.

—¡Sobre todo ahora que estás tan endemoniadamente sexy! —repite, a lo que yo hago ver que me desmayo y las dos nos atacamos de risa como viejas conocidas. Las demás nos miran enojadas, Darcy incluida.

Durante la hora de biología marina no soy capaz de prestar atención a nada de lo que dice el señor White. No conseguiría escucharlo ni por que me pagaran un millón de dólares. Dice algo sobre que hay cientos de especies diferentes de peces y habla de sus nombres científicos. Por ejemplo, el del esturión común es *Acipenser brevirostrum*, que suena más bien a un hechizo que te enseñan en Hogwarts que al nombre de un pez, lo que es bastante fascinante si se ponen a pensarlo..., pero ¡yo no consigo pensar! En lo único en lo que logro concentrarme es en la locura que resultó ser este primer día de clase y en que tengo seiscientos mil seguidores en Vine. Mi vida cambia a velocidad de vértigo y no paran de venirme imágenes a la cabeza, ¡tengo millones de ideas que convertir en Vines! Las anoto en mi libreta mientras el señor White sigue su verborrea marina:

- Chicos que silban a chicas, chicas que les tiran sus latas de Coca-Cola Light en la cara.
- Chicos vs. hombres (título alternativo: Los chicos están tan confundidos).

- Durante la clase de biología marina, una chica usa un hechizo a lo Harry Potter para convertir al profesor en un esturión.
- Cambio de *look* instantáneo.

Un cambio de *look* instantáneo. Lo escribo una y otra vez. ¿Es eso lo que me pasó a mí? No, me esforcé por cambiar, trabajé duro, ¡sufrí para conseguir este cuerpo! Pero ¿no sería genial? Un cambio de *look* tan instantáneo como el café. Solo con añadir agua. Una chica muy *nerd* saluda a sus amigas, con sus *brackets*, sus lentes y sus granos. De repente, un libro llamado *Pubertad* la golpea y se convierte de forma automática en una reina de la belleza. Las amigas se golpean con el mismo libro intentando conseguir el mismo efecto, pero desgraciadamente, la magia no funciona con ellas.

La clase de biología marina pasa mientras tengo la cabeza ocupada en estas cosas, y para cuando suena el timbre ya llené tres páginas con material nuevo para Vine. ¡Qué bien me sienta esto de ser popular!

17

Cómo recuperarse de un choca los cinco fallido (600 102 SEGUIDORES)

—*B*ueno, hoy ha sido un día... diferente. —Darcy se reúne conmigo en mi casillero después de las clases y todavía está mordisqueando el popote de su Coca-Cola Light.

—¡Qué locura! Pero... ¿sabes qué? ¡Tengo tanta hambre que me podría comer tu cabeza!

—¡Yo igual! ¿De qué se trata eso de salir para no comer? Ahora entiendo por qué están tan flacas.

—Exacto. Yvette quiere que nos veamos de nuevo con ellas fuera del campus, así que supongo que podemos traernos algo para picar y comérnoslo antes.

—¿Es en serio? ¿Quieres que salgamos con ellas otra vez? Ay, Lele, ¿no ves lo que significa esto?

—No...

—Que ahora eres popular. Somos populares. Es muy raro.

—¡Yupiiiiii!

Levanto la mano para chocarle los cinco. Darcy se prepara, pero su mano no toca la mía y las dos nos venimos abajo al no conseguirlo.

—Ay, qué vergüenza... —dice con una mueca.

—Sí, creo que deberíamos ensayar un poco.

En mi habitación nos ponemos a comer papas fritas onduladas y nos pasamos las siguientes tres horas intentando inventar y coordinar el mejor choque de manos que se ha visto en la historia de la humanidad. Para cuando lo perfeccionamos del todo parecemos Lindsay Lohan y su mayordomo en *Juego de gemelas*. Eran geniales, ¿no?

18

¿Que tú estás... con ella?
(600 552 SEGUIDORES)

¡*N*otición! Yvette va a hacer una fiesta con el único propósito de juntarnos por fin a Alexei y a mí.

—¿Qué? ¿Por qué? —pregunto.

Me arrinconó debajo de una escalera en el edificio de lenguas y me acaricia el pelo como si fuera yo un gatito triste mientras habla conmigo. ¿Cómo puede estar tan cómoda invadiendo el espacio personal ajeno? ¿No le preocupa que piense que es lesbiana? No, seguro no, porque a Yvette no le preocupa nada, es demasiado *cool* para preocuparse. ¿A lo mejor es un androide? ¿Uno de esos robots de *Austin Powers*? No me extrañaría.

—Pues porque, amiga, se nota que le gustas, y tú obviamente ¡estás enamorada de él hasta los huesos! No me parece que seas tímida, pero por algún motivo hay algo que les está impidiendo a los dos dar el paso y yo, por mi parte, me estoy impacientando un poco. Ahora eres mi amiga, y Alexei me cae bien... Y yo hago estas cosas por mi gente.

—Okey, Cupido, si tú lo dices.

—¡Síííííí! ¡Genial! ¡Qué emoción! El viernes en mi casa, coméntalo por ahí. ¡Besos!

Se aleja saltando escaleras abajo. Esta chica es una montaña rusa, cada vez que la tengo cerca me parece que necesito agarrarme a algo.

Y aquí estamos, Yvette y las Montañas Rusas y yo, bailando al ritmo de Beyoncé en la mansión Amparo, bebiendo piñas coladas. La mía sin alcohol, pero las de ellas con ron y todo. O sea, no me malinterpreten, me parece bien, pero a mí no me hace falta porque yo sobria ya acabo haciendo cosas más raras que la gente cuando anda borracha, así que no me falta añadir alcohol. ¡La gente bebe para poder seguir mi ritmo! Además, en cuanto cumplí los dieciséis y saqué el permiso de conducir me designaron la conductora del grupo, y eso me da todo el poder, ¡bua, ja, ja, ja!

—No es broma, ¡era ASÍ de grande! —dice Becca, y separa las manos para mostrar lo que parece un baguette—. Me quedé como piedra, de verdad, estaba en *shock*.

Las demás gritan y aplauden como locas. Parecen una pandilla de focas.

—¿Y qué hiciste? —pregunta Yvette tras darle un sorbo a su piña colada.

—Primero me puse en plan: «Ay, Dios, Jackson, ni hablar. Eso no va a entrar ni de broma». Pero él me dijo: «Que sí, ya verás, sé hacerlo». Y le dije: «¡No! ¡Me me va a doler!». Y él dijo que haría lo posible para que no me doliera, así que primero lo dejé que me hiciera sexo oral como un millón de años.

—¿Y?

—Y tenía razón, cabía. Y no me dolió. Solo un poco al principio.

Más gritos, más aplausos.

—¡No puedo creer que hayas perdido la virginidad con Jackson Clark! —dice Yvette. Su tono denota que aprueba la elección de Becca—. ¡Está buenísimo!

—Mucho más que con el que la perdí yo —apunta Cynthia—. ¿Se acuerdan de Eric McCullough?

—¿No estuvo en el Miami High solo un semestre?

—Sip.

—¡Qué asco, Cynthia!

—Sí. Era bastante asqueroso. Pero estaba muy aburrida en la fiesta de Jessie Jacob, así que pensé: «¿Por qué no?». Y no fue lo peor del mundo, el tipo sabía cómo mover esas manitas.

—Ay, por favor, basta ya, me vas a hacer vomitar.

Yvette levanta la mano para hacer callar a Cynthia y luego se voltea hacia mí.

—¿Y tú, Lele? ¿Con quién la perdiste tú?

—Este... Yo... Je, je, es una historia muy divertida...

—¡¿No me digas que nunca lo has hecho?! —Yvette lo pregunta como si fuera la cosa más increíble que le hayan contado en la vida.

—Sí. O sea, no. Nunca lo he hecho.

—¡Ay, Dios mío! —Se queda con la boca abierta para acrecentar el dramatismo de la escena. Por el modo en que me mira pensarían que le acabo de decir que soy una espía venida de Marte—. Pero ¿qué demonios estás esperando?

—No sé... No es que esté esperando, es que nunca ha pasado. Nunca he tenido un novio de verdad y...

—¿Y qué? No hace falta tener novio —añade Maddie—. Tú solo escoge a un chico que tenga experiencia y lánzate.

—¡Tonterías! —intercede Yvette—. Es obvio que perderá la virginidad con Alexei. Puede que incluso ocurra esta noche. ¡Oooh, sería fantástico!

—No estoy yo muy segura.

—¿No te gusta?

—Sí, me gusta mucho, pero me gustaría que fuera... No quiero que pase en una fiesta.

—Ah... —De nuevo me mira como si acabara de bajar de un platillo volador—. ¿Por qué?

—¡Una fiesta es un lugar público! Solo se pierde la virginidad una vez, tendría que ser algo... especial. —Noto cómo las mejillas se me ponen al rojo vivo, y desearía poder cambiar de tema.

—Lele, perder la virginidad no es algo que debas hacer, es algo que necesitas superar pronto para poder empezar a disfrutar del sexo. Y no va a ser especial... Hasta la quinta o la sexta vez, nunca lo es.

—Ya sé que no habrá fuegos artificiales la primera vez ni nada de eso, solo digo que quiero que sea... algo consciente. Quiero poder recordarlo sin que me den ganas de vomitar. ¿Saben? Al menos me gustaría guardar un buen recuerdo. Y a no ser que sea en el yate de Brangelina después de los Oscar, una fiesta no es el mejor lugar para conseguirlo.

—Ah, ya —concede Yvette—, sé una romántica si quieres. Pero ya veremos cómo te sientes cuando aparezca con la sudadera desabrochada y sin nada abajo.

Y ya vemos cómo me siento cuando aparece: me quiero tirar por el balcón. O desde más arriba. Desde el tejado. ¿Por qué? Porque aparece con OTRA CHICA.

Ah, y se están BESANDO.

Bajo la monumental escalera cubierta de alfombra roja de la casa de Yvette con mi vestido ajustado de flores color rosa, súper sexy (pero con clase) y lo veo en el bar de la familia Amparo, sirviéndole una copa a una chica pequeñita con el pelo teñido de fucsia y un *piercing* en la nariz. Se me para el corazón y los pensamientos se me agolpan en la cabeza: «Okey, mantén la calma, relájate, respira hondo. Uf, es muy guapa, y tiene un *look* muy original, muy suyo; ¿le parece más *cool* que yo? Seguro no tengo que preocuparme, seguro es su prima o su hermana o una chica que ni conoce...».

Justo mientras pienso esto veo que brindan con los vasos y él se agacha para que ella le dé un beso. No cualquier tipo de beso, uno apasionado. Un beso lento, apasionado, innecesariamente largo. Con lengua. Asqueroso. Alexei levanta la vista y me ve mirándolos, petrificada en la escalera, sin duda con una expresión de puro terror grabada en la cara.

—¡Hola, Lele! —Me saluda entusiasmado, como si no acabara de arruinar mi vida.

Intento devolverle el saludo, pero no puedo. Los brazos me pesan como si fueran de plomo, y no los podría levantar ni aunque mi vida dependiera de ello. No me noto la cara, y todo lo que pasa en la casa parece suceder en cámara lenta. Lo único que consigo hacer es salir corriendo escaleras arriba de nuevo.

Así que *bye-bye* al gran plan de Yvette, y *bye-bye* a mis sueños de futuro de convertirme en la señora de Alexei Kuyper. Ya está, *game over*. Imagínense un videojuego pixeleado en el que Lele aparece en la pantalla con dos X en lugar de ojos.

—Bueno, hubo un pequeño contratiempo. —Yvette intenta calmarme mientras trato de no hiperventilar en el baño—. Solo tendremos que replantearnos un poco el plan, eso es todo. ¿Tú sabes lo fácil que es hacer que la gente termine hoy en día? Seguro no van en serio. Lele, por favor, respira hondo. Me estás asustando.

—¿Yo? Si estoy bien. —Suspiro y me doy cuenta de que llevo aguantando la respiración tanto rato que cuando me veo la cara en el espejo está casi azul.

—Sí, estás más que bien, te ves guapísima con ese vestido, en serio. Baja, disfruta de la fiesta como la diosa y la estrella del rock que eres y deja que se dé de golpes contra la pared cuando se dé cuenta. Tú sé tú misma y seguro antes de que acabe la noche ya ni se acuerda de la tipa esa. ¿Okey?

—Yvette, no quiero sonar desconsiderada, y seguro que va a ser una fiesta increíble, pero no creo que pueda hacerlo. Creo que necesito estar sola. No estoy de humor para una fiesta ahora mismo. —Me acurruco pensando que va a enojarse o a ignorarme. Me da miedo que la Yvette mala vuelva a entrar en escena.

—Cariño, lo entiendo. Esto es una mierda. Ya he pasado por eso, créeme. ¿Harías una última cosa por mí?

—Claro. Creo.

—Vete a casa y date amor, porque te lo mereces. Toma un baño de espuma, bébete una copa de champaña, cómprate algo bonito por internet. Incluso ve algún episodio de *Esposas desesperadas* si hace falta.

Guau. No era lo que esperaba. Supongo que al fin y al cabo fue una fiesta llena de sorpresas. Buenas, feas y malas.

De vuelta a casa intento reunir la energía suficiente para meterme a la bañera, pero no puedo, así que me tumbo en la cama. Al mirar al techo me imagino que tengo unas enormes letras rojas en la frente que dicen «RECHAZA-DA». Alexei tiene novia. De verdad no me lo esperaba. Ya notaba que no estaba interesado en mí, pero no me había imaginado que escogería a otra. Y puede que Yvette tenga razón, a lo mejor podría conquistarlo, pero no quiero ser la chica que le roba el novio a otra. También conocida como robanovios. Eso no está bien.

No es que sea muy buena escritora, pero necesito canalizar mi dolor de alguna manera que no implique levantarme de la cama. Tomo papel y una pluma y me pongo manos a la obra, aumentando mi autoestima creyéndome una F. Scott Fitzgerald. Todo el mundo ha sido rechazado, incluso los mejores. Aunque en realidad creo que eso es lo que la gente te dice para no herir tus sentimientos, la verdad, porque no hace falta añadir lo de «los mejores», a todos nos han rechazado alguna vez en nuestra vida. Pero bueno, he aquí el relato que acabo escribiendo mientras tendría que estar perdiendo la virginidad con Alexei en el jacuzzi de los padres de Yvette. Bueeeno, quién sabe, a lo mejor acabo perdiéndola en una fiesta de todos modos. Los jacuzzis son románticos al menos, ¿no? He visto el *reality* de citas *The Bachelor*. (Nota: Todos los personajes que aparecen a continuación son ficticios. Cualquier parecido con personas reales, vivas o muertas, es pura coincidencia.)

¿Les ha pasado que tienen el típico vecino guapísimo cuya ventana de la habitación da directamente a la suya? ¿No? Ah, bueno, pues ustedes se lo pierden. ¿No han visto nunca el video de Taylor Swift *You Belong With Me*? Yo, como Tay Tay, tengo un acceso visual perfecto al chico guapísimo, y a menudo sin camiseta, que vive al lado, y a los dos días de su llegada ya estaba locamente ENAMORADA de él. Pues sí, chicas, no se trató solo de un capricho ni fue cosa de las hormonas, era AMOR VERDADERO. Me encantaban sus ojos azules, brillantes como el cielo de Miami; su precioso pelo rubio peinado de forma tan impecable que haría palidecer al Justin Bieber preadolescente; adoraba su piel morena y su pecho sin un pelo; los músculos de su abdomen que bajaban en diagonal hacia su... ¡Un momento! ¿De qué estamos hablando aquí? Ah, sí, de amor verdadero, claro. Amor verdadero y silencioso, expresado tan solo a través de palabras escritas en hojas de libreta con un marcador permanente y pegadas a la ventana. El éxtasis.

Solo había un problema: el nuestro era un amor prohibido. No porque nuestras familias llevaran siglos siendo enemigas y derramaran la una la sangre de la otra como mero pasatiempo, sino más bien porque él tenía una novia que, LO ADIVINARON, era porrista: sus tacones contra mis tenis, sus minifaldas contra mis camisetas. ¿Necesito decirlo más claro? Era una *top model*, ¿okey? Y yo, por otra parte, no: alta, pelo largo y rubio, tetas grandes. Uf. ¡Qué injusticia! Pero no iba a dejar que mi aspecto de patito feo se interpusiera en mi camino para conseguir al hombre de mis sueños. Y ¿saben qué? Tampoco es que yo no le interesara nada de nada. A veces se sentaba sobre la cama y me mandaba mensajitos en plan de: «¡Hola!» o «¿Qué haces?», y yo le respondía con algo así como: «Nada, ¿y tú?», y ambos nos reíamos y pestañeábamos con fuerza como si fuéramos... No sé, ¿qué animal pestañea? Solo los humanos, ¿no? Nos reíamos y pestañeábamos como un par de humanos. Así que elaboré un plan para conquistarlo: me pondría mi camiseta más bonita, la que tuviera menos agujeros, me sentaría en la cama con las piernas cruzadas, utilizaría mi marcador para escribir las palabras que siempre le había querido decir a un hombre y se las mostraría desde la distancia: «TE QUIERO».

La providencia quiso que justo en el momento en el que colgué el cartelito con dicho mensaje en la ventana apareciera la Novia Porrista Guapísima de la nada, como si se hubiera teletransportado desde un universo paralelo de perfección adolescente, y se pusiera al lado de él con los brazos cruzados mirándome fijamente como si me fuera a asesinar. Y eso es lo que pasó: me asesinó. Sacó su resortera y antes de que pudiera darme cuenta de lo que sucedía, mi vida llegó a su fin por el impacto de una roca del tamaño de mi puño. ¿Lo peor de todo? Ni siquiera se enojó con él. Me echó la culpa de todo a mí y LOS DOS vivieron felices para siempre. Ahora están casados, tienen dos hijos y viven en una casa con una barda de madera, y él cada tarde al llegar dice lo mismo: «Amor, ¡ya llegué!». Lo mejor: ahora que estoy muerta puedo aparecer por allí y molestarlos todo el rato. Por tanto, en cierto modo, yo también acabé viviendo (o muriendo) feliz para siempre.

FIN

¿Lo ven? Esto de escribir no es lo mío. Pero me merezco un millón de puntos extra por mi imaginación desbordada, modestia aparte, aunque, francamente, en este momento, mi opinión es la única que cuenta.

#DIVAONLINE

De enero a abril

19

Cuando la gente me toca el claxon
sin motivo aparente
(1 650 000 SEGUIDORES)

Es difícil seguir triste por lo de Alexei y la Chica Sin Nombre cuando ¡estoy triunfando en Vine! No sé qué debo de estar haciendo bien (aparte de ser yo misma), pero de repente tengo otro millón de seguidores y ¡diez millones de visualizaciones! Madre mía, si me dieran un dólar por cada una... clonaría a Alexei y me haría cinco iguales y ya no estaría sola nunca más. En fin, parece que la gente cree que soy chistosa, o bonita, o chistosa y bonita... Eso, o les encanta ver cómo me golpeo.

En cualquier caso, tantos seguidores se traducen en acuerdos de patrocinio y en invitaciones a fiestas, que no es exactamente lo mismo que el amor verdadero, pero ¡qué me quiten lo *bailao*! Incluso me invitaron a Coachella (y a todas las fiestas *top* que se organizan los días que se celebra el festival), y a la tienda de las *celebrities* ni más ni menos. Es hasta abril, pero ya estoy contando los días.

En cierto modo siempre había deseado hacerme famosa. Cuando tenía siete años descubrí cómo grabarme a mí misma cantando y cómo pasar la grabación a un CD. Entonces hice diez copias del mismo e intenté vendérselas a los niños de mi clase por veinte dólares cada una. Desgraciadamente, nadie lo compró. El disco se llamaba *Lucky Penny* y vendió un total de una copia, a mi padre. Así es como una niña de siete años concibe la industria discográfica. Lloré toda la noche en la cama hasta que llegó mi madre y me dio la clásica charla motivacional sobre que hay que echarle muchas ganas y no decaer nunca, y que la fama no llega de un día para otro y blablablá. No me animó, pero hice como que sí para que me dejara dormir tranquila.

Siempre quise ser famosa, pero nunca pensé que lo conseguiría. Supongo que en el fondo sí lo sabía. Lo mejor de todo es que mi madre se equivocaba con eso de que la fama no te llega de un día para otro. Ayer nadie sabía quién era y hoy en cambio voy bajando por Lincoln Road y no me dejan tranquila. Para serles sincera, no estoy segura de que me guste.

Cuanto más avanzo, más tensa me siento, más preocupada por acabar haciendo alguna estupidez y que la gente lo vea. Ya sé que es una preocupación un poco absurda, porque si soy popular o famosa es por mostrarle al mundo las estupideces que siempre acabo haciendo, así que ¿qué más da si me equivoco también en la vida real? Pero no me parece lo mismo, es como si estuvieran invadiendo mi intimidad, como si me hubieran negado mi derecho a andar por ahí de forma anónima. En el mundo real no he invitado a nadie a que me mire, pero lo hacen de todos modos.

Dos chicas de unos diez u once años se acercan para pedirme un autógrafo, algo que no me molesta en absoluto porque son pequeñas y lindísimas. Son la clase de gente por la que empecé a hacer mis Vines, niñas que necesitan a al-

146

guien en quien reflejarse, alguien que les diga que todo va a salir bien, que la vida es divertida y no da tanto miedo como parece.

—¡Eres la mejor *viner*! —me dice una—. ¡Nos encantas! —Trae una camiseta en la que se lee «ÁNGEL» en letras de plástico rosa que parecen pegajosas al tacto.

—¡Chicas! ¡Son unas linduras! ¿Ustedes también tienen Vine?

Les firmo unas servilletas, como si esto fuera a tener algún valor alguna vez en la vida... ¿Tengo que empezar a llevar fotos mías en la bolsa? ¿O eso lo tienen que traer los fans? O sea, si tú quieres el autógrafo, dame tú la foto, ¿no? ¿Hay reglas para esto? ¿Hay alguna guía de referencia de personas famosas que pueda consultar?

—No, no podemos tener cuentas en las redes sociales hasta que cumplamos catorce —dice la otra. Trae unos mechones de diamantina en el pelo y dos pasadores de color verde.

—Eso está muy bien. Por ahora dedíquense a ser niñas, tienen toda una vida por delante para ser esclavas de internet.

—¿Tú crees que internet es malo? —La chica de la camiseta con letras de plástico se ve confundida.

—No, no es eso... Es complicado. A veces puedes acabar pasando demasiado tiempo allí y no suficiente en el mundo real. Además, hay gente peligrosa que navega por la red y hay que tener mucho cuidado con ellos.

—Como... ¿asesinos? —Pasadores Verdes me mira preocupada.

¡Ay! No quería asustarlas. Será mejor que me retracte.

—Sí, claro que los hay, pero no tienen que preocuparse por ellos. Solo tienen que ser listas. Yo no empecé a usar las redes sociales hasta que cumplí los quince.

Las chicas asienten con sus cabecitas, con ganas de saber más. ¿Qué demonios pasa? ¿Qué se supone que soy ahora, su mentora? Si no puedo ni con mi propia vida, ¿cómo se supone que voy a dar consejos a unas niñas? ¡Soy demasiado rarita para ser un modelo a seguir! ¿Y si esta responsabilidad me sobrepasa?

—Y ¿qué pasa con Alexei? ¿Es tu novio?

Por fin una pregunta a la que puedo responder simple y llanamente que no.

—¿Por qué no? Es muy guapo.

—Sí, es guapo. Pero verán, hay muchas cosas en la vida más importantes que los chicos. Busquen algo que les guste hacer y concéntrense en eso. El que tenga que llegar, ya llegará. —No sé de dónde saqué eso, pero ¡sonó genial! Y a juzgar por las caras de las niñas parece que les di el mejor consejo que han oído en su vida. A lo mejor resulta que sí puedo ser un modelo a seguir.

Mientras voy conduciendo de camino a mi casa me siento un poco tensa, así que me paro en un Starbucks por un Frapuccino de caramelo. Hay pocas cosas en este mundo que un Frapuccino no pueda solucionar, siempre digo lo mismo. Mientras me alejo en el coche con mi deliciosa bebida fresca pongo la música a todo volumen (*Pursuit of Happiness* de Kid Cudi) y cuando llego a una señal de alto, me paro, QUE ES LO QUE HAY QUE HACER. Sin embargo, parece que al idiota que tengo detrás, el hecho de que me haya detenido completamente ante una señal de alto, le resulta inconveniente del todo, así que se pone a tocarme el claxon más tiempo del debido. Y, como saben, los cláxones en la vida real no suenan *pip, pip*, sino más bien como *mmmeeeeeeeeeeeeeeeeccc*. Súper molesto.

Así que ahora sí tengo los nervios a flor de piel: entre los pervertidos y las niñas impresionables y todo, para cuando el señor BMW se pone a darle al claxon ya no puedo más. Saco de la guantera la bocina de aire comprimido (regalo de papá por si alguna vez me atacan), salgo del coche, camino tranquilamente hacia su ventanilla y le doy un golpecito. Cuando la baja, enojado, me agacho, sonrío y hago sonar la bocina directamente delante de su cara. ¿Qué se creen todos? El mundo no puede con Lele Pons.

Lele: 1, el mundo: 0.

20

Las chicas siempre serán chicas
(1 655 236 SEGUIDORES)

*T*ras una semana de ignorar los mensajes de Alexei, se presenta en mi casa con una bolsa de malvaviscos y una barra de chocolate.

—¿A qué viene esto?

—Pensé que podríamos preparar s'*mores*, ¿no llaman así a eso que hacen con malvaviscos y chocolate en las carnes asadas? —pregunta—. Creo que también llevan galletas, pero cuando me acordé ya había salido de la tienda...

Qué lindo.

—También se te olvidó el carbón para la carne asada, ¿no?

—Se pueden hacer en la estufa, yo los hago así. —Ahora resulta que Mr. Bélgica hace s'*mores* a todas horas, ¿no? ¡Ja!

—Sí.

—¿Puedo pasar? —pregunta.

—Ahora no es muy buen momento. Estoy..., esto... —Miro hacia el interior de la casa para inspirarme—: Organizando la despensa.

—¿Estás organizando la despensa?

—Sí, eso dije.

—¿Y no puedes hacerlo después?

—No, es algo que debe hacerse de inmediato.

—Eso no tiene sentido.

—¡Tú tampoco tienes sentido! —Ay, no.

—Lele, ¿por qué estás enojada conmigo? Pensé que era mi imaginación, pero llevas ignorando mis mensajes diez días y ahora te estás comportando... muy raro. ¿Qué pasa?

—Llevaste a una chica a la fiesta de Yvette. No sé, igual es una tontería, pero me dijiste que yo te gustaba hace como un millón de años y pensé que pasaría algo entre nosotros, pero luego se quedó en nada, y entonces Yvette dijo que era porque eras tímido, pero obviamente no eres tan tímido si eres capaz de meterte con cualquiera delante de todo el mundo, y supongo que todo me lo imaginé yo solita, pero no, espera, no me lo imaginé porque tú me dijiste que yo te gustaba, ¿no? No estoy enojada contigo, no, de hecho, estoy enojada conmigo misma por pensar que teníamos algo más de lo que tenemos. Bueno, no, sí, sí estoy enojada contigo porque no te molestaste en contarme que tenías novia. ¡Y tiempo has tenido! ¿No se te ocurrió mencionarlo?

—Será mejor que hablemos —suspira—. ¿Puedo pasar?

—Está bien. Supongo que la despensa puede esperar.

—Mira, escúchame un segundo —dice sentándose en una esquina de mi cama. Yo me acomodo en la otra punta para que no crea que no pasa nada y que estamos como siempre, tan amigos. ¡Ja!—. Cuando te conocí pensé que eras lo máximo, y supe que me gustabas inmediatamente. Más que como amiga. Pero la verdad es que en Bélgica tenía novia, y se mudó aquí con su familia. Cuando nos vinimos ya sabía que ellos estaban pensando en venirse también. Nuestros padres siempre han sido amigos, así que crecimos juntos. Se llama Nina... Va al Cour D'Elaine, esa escuela privada de Lake Buena Vista. Lo que quiero decir es que pensé que tú y yo podríamos tener algo, pero cuando apareció Nina me di cuenta de que no podía terminar con ella. No sabía cómo decírtelo. —Tiene las mejillas encendidas y las palabras le salen atropelladamente. Se ve preocupado de verdad, incluso algo agitado. Siento un poco de compasión por él.

—¡Guau! Bastante información.

—Ya, ya lo sé. Lo siento. De verdad. Le hablé a Nina de ti y no le importa que seamos amigos. Yo quiero ser tu amigo, Lele, incluso si ahora no podemos estar juntos. Espero que quieras ser amiga mía.

—¿Sabes? Sí, creo que quiero ser tu amiga. Creo que como amigos estamos mejor. Y parece que así tenía que ser; sí, acepto.

—¿En serio? ¡Genial! Sería terrible perderte.

—¡Yo pienso lo mismo!

—Perfecto —Se acerca y me abraza. Abraza bien... Es un abrazo tan calentito y blandito y... No, Lele, ¡ni lo sueñes!—, ¿amigos para siempre?

—¿Amigos para siempre? Ay, Alexei, eres una boba, ¿eh?

—¿Entonces? ¿BFF? ¿Amigos? ¿Bros?

—¿Te está dando un ataque o algo?

—¡Pues a lo mejor!

Los dos nos reímos y él me da un puñetazo flojito en el brazo. Se lo devuelvo, más fuerte, y se dobla como un debilucho esquelético.

Alexei me pregunta si quiero ir a su casa a jugar videojuegos o si prefiero quedarme en la mía organizando la despensa.

—Bueno, veo que te diste cuenta de que era mentira lo de organizar la despensa. Nunca tuve que organizar la despensa. ¿Quién crees que soy, mi madre?

—Lo sabía.

Vamos a su casa y me intenta explicar cómo jugar a un juego terriblemente complicado que se llama *Destiny*, pero no entiendo lo de los botones. ¿Cómo se supone que vas a acordarte de cuál hay que apretar en cada momento? Cuando quiero hacer a mi personaje saltar lo hago caminar hacia atrás, y tanto movimiento en la pantalla me marea, así que no paro de morirme una y otra vez hasta que Alexei se cansa de jugar contra una *noob*. ¿Por qué no puedo hacerlo? El público de los videojuegos son chicos no demasiado inteligentes, así que ¿cómo es que ellos entienden esto y yo no? En fin.

—Creo que mejor paso de esto —anuncio tras verme volar por los aires la decimoquinta vez—. Vamos a hacer s'*mores*, anda.

De camino a su casa compramos las galletas que faltaban.

—¡Por fin! Pensaba que no me lo ibas a pedir nunca.

Ver un malvavisco derritiéndose es una de mis cosas favoritas de todos los tiempos. Cómo adquiere un tono dorado y luego marrón al tostarse, la forma en que empieza a hacer burbujitas antes de ponerse negro y que el interior se vuelva cremoso es como magia. A mí me gustan crujientes por fuera y blanditos por dentro. Alexei prefiere los suyos solo un poquito dorados por fuera, nada más. Dice que es porque los malvaviscos son muy bonitos y no le gusta verlos destrozados. Le digo que es un poco quisquilloso.

Se ríe y luego se pone serio.

—¿Sabes? Para mí es muy importante que...

Okey, voy a ser sincera por un momento. Aquí es donde pierdo toda mi fuerza de voluntad y me permito soñar despierta una vez más. En mi mente, Alexei se está quitando la ropa despacito: se desabrocha la camisa, el cinturón, y muy pronto solo le quedan los calzoncillos negros y...

—Lele, ¿me estás escuchando?

¡Zas! Vuelta a la realidad, una dura realidad en la que Alexei está completamente vestido.

—¿Qué? Ah, sí, claro, claro, ¿qué pasa? —digo intentando no ponerme roja.

—¡No me estabas escuchando! ¡Mira! Tu malvavisco se ve asqueroso.

Apaga la estufa.

—No, a mí me gusta así. Mmm, ¡qué rico, negro y carbonizado! Lo hice adrede —digo con la boca llena—. Y te estaba escuchando, lo prometo.

—Qué mentirosa... —Alexei dice riendo—. ¡Te estaba comentando lo importante que eres para mí y te desconectaste!

—¡Caray! Siento habérmelo perdido.

—Pues sí, deberías sentirlo, payasa.

—¡Payaso, tú!

Saco malvaviscos de la bolsa y se los empiezo a tirar.

—¡Tú más!

Él hace lo mismo y acabamos metidos en una batalla de malvaviscos.

Alexei y yo exhaustos en el sofá con la sala llena de malvaviscos tirados por todas partes. Sus padres me van a odiar bastante.

21

Así que ser popular era esto
(1 900 552 SEGUIDORES)

Casi dos millones de seguidores en Vine. No dejan de llegar más. Y mientras más tengo, más obligada me siento a proporcionarles entretenimiento de calidad. Grabar mis Vines se ha convertido casi en un trabajo de tiempo completo y ya casi no tengo tiempo de hacer tarea. E incluso cuando tengo un segundo libre es la última cosa que quiero hacer, ¿de qué me sirve resolver treinta y siete ecuaciones de álgebra? ¿Quién necesita nada más allá del maravilloso mundo de Vine?

Ay. Si la vida fuera así...

Todo el Miami High me sigue en Instagram, pero nadie me conoce de verdad. Bueno, en realidad nadie conoce a nadie de verdad en esta vida, pero la diferencia es que toda la escuela *cree* que me conoce. Piensan que les abrí una ventanita a mi vida privada, que pueden convertirse en mis amigos solo porque han visto unos cuantos videos míos. Pero eso no es verdad. La verdad es que mantengo la mayor parte de mi vida privada así, privada, como todo el mundo, y me gustaría que la gente dedicara algo de tiempo para conocerme, como hacen con todo el mundo. Resumiendo: triunfar en Vine no me ha servido ni para descubrir mi verdadero yo ni para sentirme menos sola.

Pero no me malinterpreten, mi vida es genial y hago cosas geniales. La gente cree que soy lo mejor y quieren ser mis amigos. Atraigo multitudes como la luz a las polillas, soy la más codiciada. No puedo ni empezar a explicarles lo raro que es todo esto: no tenía ni idea de que Lele 2.0 se acabaría convirtiendo tan rápido en Lele 8.0, que es básicamente lo que pasó.

Steve Tao, mi DJ favorito de todos los tiempos (está bien, me descubrieron, es el único DJ del que he oído hablar en la vida. No soy la más enterada del planeta en materia musical, ¿y qué? ¿Qué van a hacer, demandarme?), organiza un evento enorme en el centro y ¡me pidió que tocara! O sea, que escoja unas cuantas canciones y esté por allí en el escenario, súper arreglada. Nunca he hecho nada remotamente parecido a esto y estoy súper nerviosa. Sé que me voy a acabar cayendo de boca y que al final se me saldrán las tetas del top por accidente o algo igual de ridículo. Le pedí a Alexei, Darcy e Yvette que me acompañen para darme apoyo moral y ninguno se quejó, la verdad. Esto es lo más increíble que nos ha pasado, y es todo gracias a mí. Por lo que a ellos respecta, soy la reina del mambo.

—Las chicas están hipercelosas —dice Yvette mientras nos dirigimos a la entrada VIP, siguiendo las indicaciones que Steve me mandó por SMS—. Parecía que Cynthia se iba a morir. Le gusta tanto Steve que estoy segura de que se lo echaría aquí mismo.

—¡Qué asco! —digo, e Yvette se ataca de risa.

Esa es otra de las cosas que me pasan ahora: no importa lo que diga, todo el mundo se ríe, sin importar si estoy intentando ser graciosa o no. Todos asumen que lo que digo es chistoso y se ríen para no ser los únicos que no entendieron el chiste. Cynthia, Maddie, Becca y Emily me siguen a todas partes, escuchando cada palabra que digo como si fuera una profeta, cuando el mes pasado se burlaban de mí y me trataban como a una *freak*. Son unas malditas superficiales y no pienso dejar que me acompañen en mi ascenso a la fama, ¡ni loca! Si es que eso es lo que está pasando, claro (porque, bueno, dos millones de seguidores ¡son muchos seguidores!). Pensarán que Yvette es igual de superficial que ellas y en cierto modo tienen razón. La diferencia es que Cynthia, Maddie, Becca y Emily son seguidoras, parásitos, mientras que Yvette y yo somos líderes naturales, y por eso nos llevamos bien. Además, hay algo que me reconforta. Cuando la tengo cerca siento que me apoya. Sospecho que no es la típica chica popular amiga de todo el mundo, sino que es súper leal. Es de todo o nada, y la admiro por ello.

Le doy mi nombre al portero y lo tacha de una lista relativamente corta: Lele Pons +3. Nos pone unas pulseras de papel de color lila en las muñecas de forma tan delicada y ceremoniosa que casi siento que los cuatro nos estamos casando con él. Señala y dice:

—Vayan hasta el fondo y suban esa escalera de ahí. Steve está arriba, ya lo verán.

Junto las palmas y le doy las gracias con una especie de reverencia a la japonesa. Acto seguido comienzo a caminar con mi pandilla detrás, que me sigue como si fuera mamá gallina y ellos mis pollitos. Recuerdo que no hace tanto era Yvette la que llevaba siempre la delantera, pero ahora soy yo con mis shorts vaqueros de talle alto y un top de terciopelo de cuello *halter* y la espalda descubierta. *Oh, yeah!*

—¡Lele! ¡Gracias por venir!

Steve está sentado en un sillón de terciopelo azul rodeado de jarras llenas de vodka y jugo de arándanos. O estoy alucinando o lleva una polo de color rosa fosforescente y una cinta del pelo que hace juego. ¿Esto es real? Chicos y chicas con más prendas fosforescentes van de aquí para allá en la zona detrás del escenario, fumando y tomándose selfies.

—¡Claro! ¡No me lo habría perdido ni loca! ¡Gracias por invitarme! —digo sonriendo de oreja a oreja.

—Me alegro mucho de conocerte por fin. Aunque es como si ya te conociera de hace mucho después de ver todos esos videos tuyos tan locos. Me encantan, por cierto, soy súper fan. Eres genial.

—¡Gracias! Gracias por verlos. Ellos son Alexei, Darcy e Yvette. Chicos, él es Steve.

—Ya sabemos quién es Steve. —Sonríe Darcy, estrechándole la mano—. Mucho gusto.

—Un placer —dice Yvette rápidamente antes de levantarse como si tuviera algo mucho más importante que hacer, alguien mucho más importante a quien enviar un mensaje. Steve se le queda mirando el trasero cuando se levanta. ¡Qué lista!

—Hombre, ¡esto es otra cosa! —Alexei empezó a hablar en un extraño tono *machipster* que no suena ni atractivo ni *cool*—. ¡Un lugar buenísimo! ¡Está muy *cool*! —Se pone una mano delante de la cara como si fuese un visor para ver más

allá del escenario hacia la sala decorada en estilo chic indus-
trial (tuberías a la vista, suelo de concreto) a la que el público empieza a llegar.

—Gracias, hombre. Agarra una copa. —Empuja la bandeja llena de alcohol hacia nosotros y señala una pila de vasos de plástico.

Mis tres mosqueteros revolotean alrededor del alcohol,
echando y mezclando sin ningún tipo de vergüenza. Me sir-
vo un vaso de jugo de arándanos y hago como que tomo el
vodka, pero lo dejo en cuanto Steve aparta la mirada. ¿Qué
demonios fue eso, Lele? ¿Te preocupa que crea que no eres
cool solo porque no bebes? ¿Te da miedo ser tú misma de
repente? ¡Concéntrate!

Para cuando empieza el set de Steve, Yvette y Darcy están bien borrachas, riendo y dando saltitos, chocando con
las cosas y coqueteando con todos los chicos que les pasan
a un lado. Es la primera vez en la vida que no me siento la
más payasa del grupo. Estoy de pie a la derecha de Steve
viéndolo mezclar canciones con una mano, súper relajado,
como si nada. El público está emocionado, bailan desenfre-
nados y corean las canciones, rompen barritas de esas que
brillan en la oscuridad y se empapan con la sustancia quí-
mica que llevan dentro, las chicas se suben a los hombros
de los chicos y se quitan la camiseta, los tipos se toman las
cervezas de dos tragos y tiran los vasos al escenario... Montones de luces se entrecruzan de un lado al otro del escenario, cambiantes, intermitentes. De repente, me entra una especie de vértigo.

—¡Gracias, Miami! —grita Steve, cambiando discos—.
Esta es mi nueva amiga, Lele Pons. Me va a sustituir un rato.

Si les gusta lo que hace, no se pirdan su Vine. Es toda una estrella. ¡Aquí está Lele!

Me coloco en el centro del escenario y saludo a la multitud sintiéndome rarísima.

—¡Guapota! —grita un chico.

—¡Quítate la camiseta! —vocea otro.

Vaya bola de animales.

Me desconecto de sus tonterías y me concentro en la pantalla de la computadora que Steve me dejó preparada. Me enseñó cómo escoger las canciones y mezclarlas, cómo ajustar el ritmo y el *tempo*, pero con los nervios del momento se me olvidó todo. Menos mal que picarle a los botones de forma aleatoria poniendo cara de saber lo que hago funciona, ¡uf! Crisis superada. Nota mental: abrir TODAS las sesiones con *Paper Planes* de M. I. A. Satisfacción general asegurada.

El baile y los gritos van *in crescendo*, así que debo de estar haciéndolo bien. Steve vuelve y se trae a mis amigos con él, quienes en este punto están tan pedos que ya no se pueden mantener derechos. Ah, y por algún extraño motivo, la lengua de Yvette está azul.

—¡Lele es una estrella del rock! —grita Yvette por el micrófono.

Steve abre una botella de champaña y la agita sobre la primera fila del público. Alexei y Darcy beben de la champaña que emana de la botella; todo el mundo se volvió loco.

En el *backstage*, me pierdo entre la cantidad de amigos, conocidos y fans de Steve Tao y un montón de chicos y chicas que parecen no acabar de entender dónde están. Un montón de gente a la que no había visto en la vida se me acerca para decirme que les encantó mi sesión y que mis

Vines les parecen la onda. Todo el mundo lo dice como si estuvieran leyendo un guion, como medio alucinados, apenas presentes.

Así que ¿ser popular era esto? ¿Estar rodeado de gente sin nadie con quien hablar de verdad? ¿Todo el mundo sabe tu nombre y poco más? Y ¿por qué? ¿Solo porque me puse en forma, me quitaron los *brackets* y subí unos videos locos en internet?

Yo siempre he sido la misma persona, así que es un poco extraño que de repente a todos les guste mi manera de ser. Es como la fábula del traje nuevo del emperador; alguien dijo que yo era *cool* y esto desató un efecto dominó que hizo que todo el mundo creyera que tenía que encontrarme *cool* porque si no, no estarían *in*. Pero yo soy la misma de siempre. ¡Es todo falso! Lo que yo quiero son conexiones reales; quiero creer que a la gente le puede gustar incluso una versión de mí más *nerd*, más solitaria. Ojalá la gente pudiera apreciar a la Lele 1.0.

Hasta el momento, esto de la fama lo único que me ha enseñado es qué tan superficial es la gente.

Pero a lo que sí me podría acostumbrar es a las barritas que brillan en la oscuridad. Nada que objetar en ese aspecto.

22

Cómo evitar que clausuren una fiesta (2 700 200 SEGUIDORES)

¿Se acuerdan de cuando iba a fiestas y todo el mundo me ignoraba sin piedad alguna? Bien, pues ahora me invitan a fiestas organizadas por *celebrities* como Kendall Jenner, e incluso se celebran algunas en mi honor. En cualquier caso, vaya a la fiesta que vaya, nunca me ignora nadie. Mamá y papá no dejan de recordarme que la fama puede ser un arma de doble filo, que supongo que quiere decir que puede ser genial pero también puede hacerte daño si no tienes cuidado, y que mantenga siempre los pies en la tierra.

—Sigues siendo una chica de prepa común y corriente, Lele, no dejes que todo esto se te suba a la cabeza.

—A ver —digo—, ¿cuándo he sido yo una chica de prepa común y corriente? Además, ya lo sé. Lo tengo controlado.

Aunque debo admitir que a veces toda esa atención es demasiado y me entran ganas de gritar: «¡Eh! ¡Cambien el foco de atención! ¡Aquí no hay nada que ver!», y volver corriendo a casa a los cómodos brazos de mamá y papá. Como cuando estoy a punto de estornudar y pongo la cara más ridícula del mundo, o cuando pierdo la coordinación mano-ojo y tiro la bebida por todas partes, o como cuando aparece la policía... Extraño los días en los que era invisible.

«Perdón, ¿qué dijiste? —pensarán—, ¿que apareció la policía? ¡Uff, esta Lele es muy *hardcore*!» Y tendrán razón, porque es cierto, soy muy *hardcore*, pero ese no es el punto. Déjenme que les explique cómo fue la cosa.

¿Han ido alguna vez a una fiesta en una bodega? Bueno, pues yo ahora sí, y quiero decirles que son una locura. La gente paga para bailar durante horas pegada a una multitud de extraños sudorosos mientras se les revientan los tímpanos escuchando música tecno a todo volumen. Suena horrible, y en parte lo es, pero a la vez es muy divertido también, perder completamente la cabeza.

El primo de Yvette, Danny, es promotor de un antro y organizan esta fiesta (o sea, la fiesta en la bodega) en el centro que se llama Cacofonía (que es una palabra muy *cool* que se usa para referirse a una mezcla desagradable de sonidos), e Yvette dice que le encantaría invitarme como VIP. ¿A mí? ¿Como VIP? ¿Como *celebrity*? Obviamente, no me puedo negar. Así que nos ponemos la ropa más fabulosa y fosforescente que tenemos y tomamos un Uber hasta una esquina oscura del centro en el que todo el mundo anda medio escondiéndose como vampiros. Nos encontramos con Danny, quien nos lleva al inicio de la fila y nos pone un sello con una carita sonriente de color rojo.

Yvette empieza a volverse loca desde el minuto uno, dando saltos y contoneando su cuerpo al son del nts nts nts de la música. Yo echo un buen vistazo a mi alrededor al enorme espacio bañado de luz de color rojo oscuro cuando aparecen varias chicas ataviadas con ropa medio *hippie* festivalera y me miran con los ojos abiertos como platos y sonrisas de oreja a oreja.

—¡Eres Lele Pons! —Una grita por encima de la música y me acaricia el pelo, claramente drogada.

—¡Sí! ¿Qué tal?

Considero la posibilidad de apartarle la mano de mi pelo, pero se ve anonadada y la dejo hacer lo suyo. Además, nunca viene mal hacer nuevos amigos.

—¡Ven a bailar con nosotras! —dice otra—, ¡nos encantas!

—¿Ah, sí? —Menos mal que está súper oscuro y no pueden ver cómo me sonrojo—. Gracias, son muy amables.

—Tienes que bailar con nosotras. Ay, Dios, esta noche está siendo increíble. Lele, eres una diosa. Chicas, ¿verdad que es una diosa?

El resto muestra su acuerdo al unísono y me tiran de los brazos hasta el centro de la pista, donde los cuerpos se retuercen como serpientes. Pese a la intensidad de la escena, en realidad resulta muy agradable moverse al son de la música y dejar de pensar en los problemas. Yvette nos encuentra y me tira agua sobre la cabeza para refrescarme. Seguimos moviéndonos durante lo que parecen horas, probablemente quemando miles de calorías. Ya perdí la noción del tiempo y del espacio cuando un murmullo preocupado empieza a recorrer la multitud; pronto se convierte en una erupción de pánico y en cuerpos corriendo y gritando:

—¡La policía! ¡Fuera todo el mundo!

—¿La policía? —pregunto volviéndome hacia una de las chicas—. ¿Por qué vinieron? Esto no es una fiesta ilegal, ¿o sí?

Se me revuelve el estómago. ¡Soy demasiado bonita para ir a la cárcel!

—No si tienes veintiún años —me responde, desapareciendo entre la multitud.

—¡Mierda! ¡Yvette! Si nos arrestan me muero.

—Dios, Lele, tranqui. Sígueme, anda.

Me toma de la mano y se abre paso entre la multitud, que se dispersa mientras escuchamos las sirenas acercarse y la música se detiene de golpe. La sigo hasta la barra, donde pasamos detrás de una cortina y de repente estamos en un pasillo bastante angosto.

—¡Policía! —oigo decir a un vozarrón del otro lado de la cortina—. ¡Que nadie se mueva!

—¡Vamos!

Yvette me suelta la mano y salimos corriendo por el pasillo hasta una escalera de metal que da a una puerta que se abre a un callejón. La salida de la parte de atrás, claro, ¡genial! Veo la luz roja y blanca de la sirena al final del callejón, así que debemos seguir corriendo en dirección opuesta. Cuando llegamos al siguiente cruce, estamos sin aliento y empezamos a morirnos de la risa, finalmente a salvo.

—¡Jesús! Yvette, ¿qué demonios pasó?

—La policía aparece en este tipo de fiestas casi siempre. Deberíamos hacerte una credencial falsa.

—Lamento ser una aguafiestas, pero a lo mejor en el futuro podríamos ir solo a fiestas legales, ¿no?

¡Qué aventura! Fui a mi primera fiesta en una bodega y al final ¡tuve que escapar corriendo de la policía! En casa me tiro en la cama y garabateo un par de ideas en un cuaderno:

Cómo evitar que clausuren una fiesta: si vas a una fiesta, lleva siempre un uniforme de policía en la bolsa. Así, si aparece la policía, puedes hacerte pasar por una de ellos y decir: «Chicos, lo tengo todo controlado, pueden irse». Luego te vuelves a cambiar y dejas que continúe la magia.

23

De fiesta en fiesta
(3 145 000 SEGUIDORES)

*U*na fiesta, dos fiestas, fiesta arriba, fiesta abajo. He ido a montones de fiestas y ¡no hay dos iguales! Algunas son grandes y otras pequeñas, unas son divertidas y otras son nefastas. En unas fiestas hay alcohol y en otras globos, en algunas piñatas de los Looney Tunes. Algunas fiestas... Bueno, ya se hacen una idea más o menos, ¿no? Soy una poetisa con talento infinito. Una poetisa que ha ido a muchas fiestas y ha dejado de lado las tareas durante demasiado tiempo, me temo. Pero al final resulta que no todas las fiestas valen la pena. Hay algunas a las que sería mejor no ir. Estas se llaman fiestas de cumpleaños de niños de trece años.

Nunca he entendido las fiestas de cumpleaños infantiles. Los niños son felices revolcándose en el lodo mientras sus padres aprovechan la oportunidad para socializar. Según parece, este fenómeno dura hasta que llega la adolescencia del niño en cuestión. Es sábado por la noche y estoy vestida en tonos pastel con el pelo trenzado a un lado, de pie, incómoda en una esquina de la sala en la que el hijo de Josie King celebra su decimotercer cumpleaños. Fiesta a la que invitó a sus doscientos mejores amigos. No conozco a nadie y llevo una eternidad aquí sola junto a la fuente de chocolate mientras estampidas de niños y niñas de trece años súper hormonados bailan como poseídos. Estoy aburrida y asustada y a pocos segundos de ponerme a beber chocolate directamente de la fuente.

A lo mejor debería rebobinar un poco. La semana pasada recibí una llamada de la mismísima Josie King (que es una actriz de primera categoría, evidentemente. ¿En qué planeta viven?), durante la que me comentó que a su hijo, Ryan, le encantaban mis Vines y que quería invitarme a su cumpleaños. Primero lo dudé, pero luego se explicó mejor y me di cuenta de que no era una invitación, sino una oferta: solo tenía que aparecer en el *bar mitzvah* de su hijo y firmar algunos autógrafos a los niños, por lo cual recibiría diez mil dólares. ¿Dónde hay que firmar? ¿Que cómo me sentí al ser contratada por una estrella de Hollywood? Genial. Irreal. Preternatural. Pero cuando llegué allí, la magia se desvaneció. La fiesta de cumpleaños del hijo de trece años de una *celebrity* sigue siendo una fiesta de cumpleaños, lo que quiere decir que la mayoría de los invitados están iniciando la pubertad justo en ese momento.

Lo que quiere decir que son incansables. Lo que quiere decir ¡QUE SE CALMEN DE UNA VEZ, MALDITOS MONSTRUOS!

—¡Tú no eres Miley Cyrus! —me acusa uno de los chicos al verme, súper perspicaz.

—No, cariño —dice su madre algo nerviosa, como si estuviera intentando aplacar un animal salvaje—. Miley Cyrus le habría costado a mamá un par de millones de dólares. Y eso es ridículo. Dijiste que te gustaba Lele, ¡ves sus videos a todas horas!

—Sí, pero ¡quería que viniera Miley! Bueno, no importa. ¡Hola, Lele! Gracias por venir a mi fiesta. —Tiene las mejillas regordetas y pecosas.

¿Un par de millones de dólares? A lo mejor no tendría que haberme puesto tan contenta con los diez mil. Suspiro. Tengo por delante una noche muy larga.

Me siento a la mesa a beber jugo de arándanos con Ryan y sus amigos mientras el resto de los invitados se ponen a comer *crudités* con la canción *I Gotta Feeling* de los Black Eyed Peas sonando de fondo.

Podría ser peor.

Hay formas peores de ganar diez mil dólares, ¿no? Eso es lo que creo hasta que el mejor amigo de Ryan, Carl, empieza a preguntarme por mis experiencias sexuales y entonces sé que tengo que largarme de allí.

Me excuso y me levanto de la mesa de los niños pervertidos para dirigirme a la fuente de chocolate, y llevo aquí desde hace veinte minutos, con la mirada fija en el reloj y evitando cualquier tipo de conversación con abuelos o amigos de la familia que me preguntan de dónde conozco a Ryan. Dios santo.

Me muerdo una uña y me regodeo de alegría al saber que en tres minutos podré irme cuando un chico en una chamarra color turquesa le tira una pelota de futbol a su amigo, esta rebota en la fuente de chocolate y me salpica entera como si fuera la víctima en una peli gore, pero en versión mucho más dulce y café. Primero me entra el pánico, pero luego me encojo de hombros: ¿a quién engaño? Este baño de chocolate fue lo mejor de la noche.

Creo que de ahora en adelante me voy a centrar en ir solamente a fiestas sin cobrar y en las que los invitados sean de mi misma edad.

24

Los viejos amigos son los mejores amigos
(3 200 000 SEGUIDORES)

—¿*S*e acuerdan de cuando para ver un programa de la tele tenían que saber a qué hora lo emitían y asegurarse de que estarían delante de la pantalla para no perdérselo? —pregunta Lucy sacando los M&Ms rojos de la bolsa y apartándolos.

Lucy, Mara, Arianna y yo estamos en la habitación de Arianna (la vieja pandilla junta de nuevo) un miércoles cualquiera, como si no hubiera cambiado nada. Como si no hubiera sido extirpada del confort y la seguridad que me proporcionaba mi adorable círculo de amistades, como si no me estuviera convirtiendo por accidente en una sensación en la red (ya sé que suena emocionante, pero solo pensarlo me hace sentir como si tuviera un elefante sentado sobre mi pecho o como si estuviera cayendo al vacío. O como si estuviera cayendo al vacío con un elefante sentado sobre mi pecho).

—Claro que me acuerdo —digo con la cabeza apoyada en el regazo de Mara—. Solía cenar a toda prisa para no perderme *One Tree Hill*.

—¡*One Tree Hill*, qué recuerdos! —grita Arianna. Está tendida en la cama a lo ancho en lugar de a lo largo.

—Y después, si querías ver algo tenías que acordarte de grabarlo —añade Lucy—, mientras que ahora está todo en YouTube o lo puedes comprar al día siguiente en iTunes.

—Gran historia, Lucy —dice Mara—. Ahora, ¿podemos hablar de algo un poco más interesante?

El amor que sentimos las unas por las otras es épico e indestructible, así que nos permitimos hablarnos así de vez en cuando.

—Me pagaron por asistir a la fiesta de un niño de trece años el fin de semana pasado —les confieso.

—¿Para qué? ¿Como niñera? —pregunta Mara.

—Mmm, no... Como *celebrity* de internet, ¿no, Lele? —responde Lucy, algo impresionada.

—Sí, supongo —digo—. Chicas, mi vida se está volviendo muy rara. El fin de semana anterior fui a una fiesta en una bodega y acabamos corriendo para que no nos agarrara la policía. No quiero tener que escapar de la policía nunca más. Fue agotador. De hecho, mi vida es agotadora últimamente.

—¡Vaya! —comenta Arianna—. Y eso que tú no te cansas nunca. Esto debe de ser muy grave. Tenemos que hacer algo para relajar a Lele a la de YA.

—En realidad, solo estar aquí observando a Lucy y su extraña aversión por los M&Ms rojos ya es bastante relajante.

—No es una aversión extraña —refunfuña haciendo una mueca—. Soy alérgica.

Luego me tira uno a la cabeza. Y me lo como.

—Bueno, nos encanta que todavía quieras salir con nosotras, tus aburridas amigas no famosas —suelta Mara.

—Por dios, Mara, no son mis amigas aburridas. La aburrida soy yo. ¿No me oyeron? Fui a la fiesta de cumpleaños de un bebé.

—Y tuviste que escapar de la policía en un *rave*.

—Shhh, calla. Basta de hablar de mí. ¿Qué han hecho ustedes últimamente?

—Pues estudiar para los exámenes y ese tipo de cosas. Estoy intentando llegar al 9 —lamenta Mara—. Aquí la lista del grupo ya va por el 9.5, la muy perra.

—¿En serio, Arianna? Bueno, no me sorprende, pero, ¡guau! ¡Felicidades!

—Si quieres ir a una universidad Ivy League necesitas muy buena calificación. De hecho, tendría que ser más alta. Voy a volver a presentar el exámen.

—¡Jesús! ¿Cuántas veces se supone que hay que hacerlo? —pregunto nerviosa.

¿Me estoy quedando atrás? ¿Quiero ir a la universidad? No, creo que no. Las clases me ponen nerviosa y en cambio actuar me tranquiliza, así que ¿por qué no perseguir mi pasión? ¿Por qué no saltarme la universidad y dedicarme a actuar para el mundo directamente? ¿Me he parado a pensar alguna vez qué es lo que me haría más feliz? Lo estoy haciendo ahora mismo y la respuesta no es la uni.

—Todas las veces que quieras —dice Arianna—. Aunque una sola también está bien.

—Sí, yo solo lo he intentado una vez —dice Lucy—. Ni loca vuelvo a hacerlo. No te preocupes, con una tendrás suficiente. ¿Cuánto sacaste?

—Pues...

—¿No lo has hecho todavía?

—No, yo no. Pero conozco a gente que sí...

—Lele, que no te entre el pánico. —Arianna me dice poniéndome la mano en la rodilla. Siempre capta cuando estoy a punto de entrar en modo pánico—. No hace falta que pases las pruebas de ingreso a la universidad. Tú solo sé tú misma y todo saldrá bien. La universidad no es para todos.

Ufff. Ya sé que Arianna lo dijo para tranquilizarme, pero ¿estoy segura de que no quiero ir a la universidad? No he tenido tiempo de pensarlo bien. ¿Me estoy quedando sin tiempo? ¿Está el reloj de arena de mi universidad quedándose vacío mientras hablamos? Había bloqueado las pruebas de ingreso con éxito de mi mente, seguramente gracias a mi ansiedad ante cualquier tipo de examen y a mi gran capacidad de negación, pero eso no quiere decir que ya haya tomado una decisión acerca de mi futuro. El elefante de mi pecho parece haber engordado unos veinte kilos. Genial.

ES HORA DE IR DE COMPRAS

De vez en cuando, la realidad impone demasiada presión y hay que dejarse llevar. Y ahora que tengo algo de dinero propio para gastar por primera vez en la vida, me dejo llevar en el centro comercial durante ¡el primer maratón de compras de Lele Pons! Si les soy sincera, esta incursión en las tiendas dura horas y sería imposible reproducirla, así que la condensé un poco para obtener un montaje megaconveniente y ultracinematográfico para su placer lector:

12:30 Arianna, Lucy, Mara y yo llegamos al centro comercial Westfield con hambre en la mirada y la fuerte determinación de no dejar ir nada.

12:35 ¡Vamos directamente a la tienda Bebe! Nos probamos chamarras de cuero y *stilettos* demasiado altos y esas camisas ajustadas que llevan la palabra Bebe en pedrería. ¡Selfies al por mayor!

13:20 ¡Tiffany's! Ya, no parece que nos vayamos a casar pronto, pero ¿qué tiene de malo probarse un par de docenas de anillos de diamantes? Respuesta: ¡Nada! ¡Gracias, adorables vendedores de Tiffany's, por su infinita paciencia!

15:00 Hora de comprar cosas prácticas (las boas de plumas son prácticas, ¿no?). Vamos a Topshop por bolsas y vestidos, agarramos cosas de los ganchos aquí y allá como si fuéramos ricas, lanzando sombreros y bufandas al aire para que quede una escena lograda. Salimos de la tienda con tres bolsas por cabeza, mínimo, llenas de *jeans* y *tops* con lentejuelas y bolsas que imitan a las de Fendi, todo pagado por *moi*. ¡Una chica tiene que mostrarle a sus amigas que las quiere!

17:00 Aquí es cuando las cosas empiezan a salirse de control. Como ya saben, solo tengo dos pares de zapatos. Al pasar por la primera planta de Nordstrom, a cámara lenta, mis ojos se detienen en las filas llenas de tacones de suela roja Louboutin y en las de modelos de Jeffrey Campbell y Jimmy Choo, botas, *flats*, sandalias... ¡los quiero todos! Esto es lo que pasa cuando has pasado una vida sin zapatos: en una hora paso de tener dos pares de zapatos a trece. ¡Ay! Ni que decir que mi pandilla está impresionada.

18:15 Tras seis horas de compras ya no podemos más y nos derrumbamos delante de Wetzel's Pretzels. Compramos hasta decir basta, y nos sentimos muuuy bien. Casi ni me acuerdo por qué estaba tan estresada antes. Ah, sí, por la universidad. ¿Y qué importa eso, Lele? Piensa en lo verdaderamente importante: tu vida de amante de los zapatos acaba de empezar y eso se merece una celebración, ¡con *pretzels* de canela! Ñam, ñam, ñam, ñam. ¡Aaah, la vida es bella!

25

Sí, sí, feliz San Valentín y todo eso (3 780 888 SEGUIDORES)

*D*éjenme que les cuente la historia de mi primer San Valentín como «celebrity». Una pista: fue tan triste como el resto de días de San Valentín de mi vida y probablemente de los que vendrán en el futuro.

Me despierto a las siete de la mañana porque mi querido día de San Valentín cae entre semana este año. El universo no me deja en paz, de verdad. En mi pijama blanca con corazoncitos color rosa (con la intención de atraer a Cupido, o a quien demonios se encargue de escuchar tus súplicas en este día del demonio), entro a la cocina medio zombi y me encuentro con una cestita del tamaño de una barca pequeña en la barra.

¡Ay, ay, ay! ¿Son dulces y regalos para mí? Lamento todas las cosas feas que dije sobre ti, San Valentín, realmente eres un santo. Tras desenvolver los kilómetros de celofán que rodean la cesta, tomo una caja de chocolates Godiva y empiezo a devorarlos.

La forma en que yo (y todo el que no sea un psicópata) devoro una caja de chocolates es la siguiente:

1. Primero, tirar la hoja que explica el relleno de cada chocolate. No me gusta que eliminen el factor sorpresa de la experiencia.
2. Luego los muerdo uno por uno para saber qué traen dentro. No me importa la cantidad de chocolates que haya en la caja, tengo que probarlos todos antes de elegir. Si muerdo alguno que tenga coco o almendras, los aparto (esos sabores son solo para psicópatas). Si muerdo alguno con caramelo, dulce de leche, trufa, vainilla, frambuesa, café, praliné, cacahuate, canela, chocolate blanco, avellana, menta o chocolate con leche, me lo termino. Como podrán imaginarse, esto quiere decir que me como muchos chocolates en una sentada.
3. Cuando me acabo todos esos, vuelvo a los rellenos de coco y almendra y me como el chocolate de alrededor, dejando atrás solo restos.
4. Sin embargo, si el chocolate que los envuelve es negro, entonces lo dejo, nunca me comería eso, no soy una psicópata.
5. Al final, lo que era una caja de veintidós chocolates artesanales parece una masacre brutal. Pero por lo que a mí respecta, esta es la única forma válida y correcta de comer chocolate.

Así que ahora que estoy en el séptimo cielo del chocolate, canto para mis adentros, mientras me chupo los dedos, «Alguien me quiere, alguien me quiere, la, la, la, la, la...», y entonces me pregunto quién habrá enviado la cesta. Hay un sobre. Lo abro tratando de ser realista: «Lele, sé lo mucho que deseas que esta cesta te la haya enviado Alexei, pero no va a ser de Alexei».

NO ESPERES QUE SEA DE ALEXEI, PEDAZO DE LUNÁTICA ROMÁNTICA SIN REMEDIO.

Y tengo razón, no es de Alexei.

Para mi total y terrible consternación, en la tarjetita dice: «¡Feliz San Valentín, Lele! Te quiere, Papá». ¡NOOOOOO! Justo entonces, papá emerge de debajo de la isla de la cocina, donde parece que lleva escondido todo este tiempo.

—¡Feliz San Valentín, calabacita! —Me rodea con los brazos y me estruja hasta que creo que me noto los intestinos.

Intento escapar, pero me abraza más fuerte. Por el amor de Dios, ¿es que no tiene piedad? O sea, adoro a mis padres, y estoy muy agradecida de tener un padre que se preocupa por mí (he visto lo que les pasa a las chicas que no lo tienen), pero ¿es que ser una celebridad menor en la red no significa nada el día de hoy?

¿De qué sirve tener fans si ninguno me envía regalos de San Valentín? Y ¿qué pasa con todos esos babosos que me comentan los videos y me dicen que me desnude y que lleve camisetas más cortas, etcétera? ¿Ninguno de ellos ha resultado ser un acosador de verdad? ¿Ni tan siquiera un acosador guapo que te envía flores una vez al año? Idiotas.

—Sí, sí —le digo a papá—, feliz San Valentín y todo eso...

—¿Qué me compraste? —pregunta haciéndose el horrorizado.

—Ay, nooo —respondo, más horrorizada todavía.

El día avanza. Estoy rodeada de una asquerosa jungla de globos de color rosa y ositos con corazones de satín entre sus brazos. Están por todas partes: es una pesadilla, está todo orquestado para recordarme que moriré sola.

Más de tres millones de seguidores en Vine, pero ni un pretendiente.

Nadie a quien amar. Soy básicamente como Marilyn Monroe. O como Lucky, de la canción *Lucky* de Britney Spears.

Durante la clase de español estoy tan ensimismada gracias al coma inducido por el azúcar que he ingerido que no puedo ni fingir estar entendiendo lo que la señorita Castillo explica. La clase está borrosa y siento calor y frustración. ¿Cuántos dulces me he comido hoy? Digamos que unas diez piezas por clase, o sea, diez veces seis, más la malteada de fresa que me tomé con Yvette a la hora de la comida. Uf. Seguro engordé cinco kilos hoy, aunque da igual, porque visto que voy a morir sola, a quién le importa. Apoyo la cabeza en la mesa e intento dormirme, bloquear este mundo cruel por un instante. Justo entonces, me vibra el celular. Es Alexei:

ALEXEI: Hola, ¿quieres que grabemos un Vine luego?

YO: Claro. ¿No tienes planes hoy?

ALEXEI: Sí, llevaré a Nina a cenar. Pero puedo pasar luego.

YO: Me parece bien si a Nina le parece bien.

ALEXEI: Sí, sí, a ella le parece OK. Es súper tolerante.

YO: Súper tolerante...

ALEXEI: ¿Es sarcasmo?

YO: 😈

ALEXEI: ¡Basta, Lele!

YO: Jaja, está bien. ¿Tienes alguna idea?

ALEXEI: No, pero he pensado que el título podría ser San Valen-Vine.

YO: Alexei, no te enfades, pero es la cosa más ñoña

que he oído en la vida.

ALEXEI: Te encanta. Reconócelo.

Bueno, no tengo cita en San Valentín, pero al menos tengo un amigo y colaborador, un socio... Y eso también cuenta, ¿no?

26

Lo que quieres hacer vs. Lo que haces cuando el que te gusta acaba de terminar con su novia (3 789 900 SEGUIDORES)

*P*ara ser sincera, no es tan terrible estar sola el día de San Valentín. Mamá y papá salieron a celebrar con una cena romántica (puaj), así que tengo toda la casa para mí. En otras palabras, soy la reina de la residencia Pons. Me pongo una peluca color rosa para animarme y algunas prendas setenteras de la época disco de mis padres, cuando se creían *cool*. No puedo creer que traigan esta ropa de payaso, y no solo ellos, ¡todos! En treinta años, ¿miraremos la ropa que llevamos hoy y la encontraremos ridícula? ¿Nuestros hijos también se burlarán de nosotros? Entonces ¿qué tipo de ropa traerán ellos? Recuerdo que en 2001 pensaba que en 2011 usaríamos ropa de plástico inflable, pero es obvio que me equivocaba, ¿no? Así que ¿quién sabe? Claro que en 1968 se creían que en 2001 estaríamos viajando por el espacio, por lo que no hay forma posible de predecir lo que ocurrirá en el futuro.

Pero bueno. El tema es que llevo una peluca fucsia (un poco como la de Natalie Portman en *Closer* pero incluso más de *stripper* si es posible), pantalón acampanado negro brillante y un *top* de cuello *halter* de color turquesa. Pongo a Gloria Gaynor en la lista de música y con una cuchara que me sirve de micrófono monto un *show* para mi propio uso y disfrute.

—*At first I was afraid, I was petrified...* —canto mirándome al espejo, con una mano apoyada en el espejo y la otra en mi cara.

Salto sobre una silla de la cocina, subo y bajo un hombro, luego doy un salto hasta la mesa, muevo la cabeza arriba y abajo y levanto los brazos hacia el techo, cantando *I Will Survive* a viva voz.

—Este... ¿Lele?

Se para el disco. ¡Se acabó la fiesta!

Es Alexei, de pie en el umbral de la puerta, con una cara como si le acabaran de dar una patada en el estómago, pero también con una expresión de que le acabo de alegrar el día con mi numerito.

—¡Ay, no! ¡¿No me digas que me viste?!

—Toqué el timbre y grité tu nombre varias veces... —Empieza a morirse de la risa—. ¡De verdad nunca había visto nada igual en la vida!

—¡No viste nada! —grito de forma dramática, y salto de la mesa hasta el suelo, esperando resultar delicada y esbelta como Catwoman.

—No te avergüences, fue adorable.

—Está bien. O sea, gracias. ¿Qué pasa? Pensaba que tenías una cita hoy.

—Nina y yo terminamos.

¿QUÉ? Quiero volver a saltar sobre la mesa de la cocina y poner una canción de Soulja Boy. Quiero bailar sobre el cofre de un coche andando para que todos me vean. Quiero correr por la playa, con los brazos abiertos, cantando: *I Believe I Can Fly*. R. Kelly era un pervertido, pero esa canción, ¡uf! ¡Creo que puedo volar!

—Lele, ¿me escuchaste?

—¿Eh? Ah, sí, claro que te escuché. —Vuelvo en mí de golpe—. Lo siento, Alexei, ¿qué pasó?

—Los dos cambiamos desde que me vine a Florida. Nos distanciamos. Y se preocupó bastante cuando le conté lo amigos que nos habíamos hecho tú y yo. Me pidió que dejara de verte y le dije que no podía hacer eso.

—¡Oooh! Quiero decir, ¡lo siento! —Le pongo la cara más triste que puedo y luego le rodeo el cuello con los brazos. Pero cuando no puede verme sonrío como una loca recién salida del psiquiátrico.

27

Cuando la gente te dice que te calmes (4 000 000 SEGUIDORES)

*M*e paso varios días preguntándome si Alexei me va a pedir que salga con él ahora que vuelve a estar soltero, pero luego me distraigo con el tema de mi floreciente carrera. ¿Ven? Cuando se es una *celebrity* de las redes sociales no queda demasiado tiempo para dedicar a los chicos. ES BROMA. ¿Se imaginan que me volviera tan repugnante? Las estrellas siempre están con la tontería de que no tienen tiempo para el amor porque están demasiado ocupadas trabajando todo el tiempo, y cuando no lo hacen, están de fiesta y no les queda ni un minuto libre para nada.

Si soy sincera, muchas de las horas que estoy despierta las paso sentada en el sofá en Instagram y Twitter y sintiéndome muy rara. En Instagram, hay cuatro tipos de persona que necesitan mostrar constantemente lo superior que es su vida comparada con la del resto, que son:

LA LOCA DEL *FITNESS*

Okey, ya nos quedó claro, haces yoga y comes súper bien. Es genial que tengas un cuerpo de diez y que además estés muy orgullosa de ello, de verdad, pero por favor, no necesito verlo todo el tiempo en un bikini con mensajes como «Nunca me había sentido tan bien #YogaBabe #ChicasDeportistas #Fitness y demás... #Eresunapesada #Cállate #Quienmemandaseguirteeninstagram.

LA FIESTERA

Esta persona sale mucho mucho mucho y quiere que lo sepas. Tiene montones de amigos y es muy importante que los conozcas a todos. Aquí tenemos una selfie en grupo en la terraza del Hotel W, otra tomando cocteles pretenciosos en la alberca... y así hasta el infinito. Esta persona también peca a menudo de hacer *posts* que muestran su lujoso estilo de vida: en una limo, en un jet privado, descorchando una botella de Moët & Chandon. Por favor, supera ese egocentrismo ya o me veré obligada a ir a tu casa a mostrarte lo engañado que estás. Tienes diecisiete años, ¡no puedes tener un jet privado!

LOS FELICES PARA SIEMPRE

Acaba de empezar a salir con su chico o está enamorada hasta la médula (seamos realistas, suelen ser chicas): sube fotos de su novio jugando voleibol playero o de su novio con un cachorrito en brazos o de su novio cocinando unas hamburguesas en la fiesta, con un mensaje que suele ser una variante de «Quiero a este hombre más que todo en el mundo #mesientoafortunada #luckyinlove». Esta gente es la más cruel de todos los especímenes de la raza humana. Me pregunto si se dan cuenta de que el mensaje que nos dan al resto es que nadie nos quiere y nunca lo harán. DESALMADOS.

EL TRABAJADOR

De acuerdo, conseguiste el trabajo de tus sueños y nunca habías sido tan feliz ni habías estado tan orgulloso de ti mismo. No es suficiente saborear tu triunfo día tras día, tienes que hacernos a todos partícipes enseñándonos fotos con la ropa de trabajo más *top* del mundo y sonriendo de oreja a oreja junto a tus fantásticos colegas. Los mensajes suelen ir en la línea de «¡No puedo creer que me paguen por hacer esto! #Viviendounsueño o #Mesientoafortunado». Y yo te digo: #Eresunpesado #Cállate #Quienmemandaseguirteeninstagram.

En realidad, hay más de cien tipos diferentes de fanfarrones en Instagram, sobre todo teniendo en cuenta todas las subcategorías dentro de las cuatro que les acabo de explicar. (Nota mental: ¿Debería renombrarse esta red social como InstaPresumidos?) Y seguro todo es falso y tienen unas vidas súper aburridas y lo único que quieren es que creamos lo contrario, pero ¡yo siempre me creo todo! Me siento en el sofá con mi pantalón deportivo y mi helado Ben & Jerry's preguntándome cómo es posible que todo el mundo haga cosas tan *top* con su vida. Todo el mundo menos yo. Así que ¿por qué no dejo de seguirlos a todos si hacen que me sienta tan mal? Si preguntas eso es obvio que no tienes Instagram, *my friend*... Esta red social es MUY adictiva, y cuando dejas de seguir a cualquiera de estas personas, el miedo de estar perdiéndote de algo se vuelve aún mayor.

Darcy viene un rato a casa y así por lo menos no estoy sola en el sofá. Estamos juntas, viendo Bob Esponja porque ninguna de las dos es capaz de reunir energía suficiente para cambiarle de canal. ¡OKEY! ¡ME DESCUBRIERON! ME GUSTA BOB ESPONJA. PERO ES QUE ES LA MEJOR ESPONJA QUE HA HABIDO Y QUE HABRÁ POR LOS SIGLOS DE LOS SIGLOS. ¿Tengo razón o tengo razón? Es domingo y estamos haciendo nada. Tenemos una lata de Pringles entre las dos y de vez en cuando Darcy se queda dormida. Hasta que Bob hace algo gracioso, yo me ataco de la risa y la despierto.

Es un día normal, un día como cualquier otro, hasta que en un momento dado las cosas dan un giro inesperado hacia el lado oscuro. Esto es lo que sucede:

Un trocito minúsculo de Pringle se me queda atrapado en la garganta, así que toso intentando sacarlo, ¡fuera de ahí!

—Ey, cálmate —me pide Darcy.

—¿Que me calme? Casi me ahogo con una Pringle.

—Estabas tosiendo como una loca, pensé que te ibas a morir de verdad.

—Pensaste que me iba a morir de verdad y por eso me dijiste... ¡¿QUE ME CALME?!

—Lele, tranquila, no pasa nada. Respira.

—¿De qué hablas? Claro que no pasa nada, eso ya lo sé.

—Intenta calmarte un poco. Vamos a respirar las dos juntas.

—¿Estás bromeando? ¡ESTOY CALMADA! TENÍA UNA PRINGLE EN LA GARGANTA, PERO AHORA YA ME LA TRAGUÉ Y ESTOY BIEN.

—No parece que estés bien. Ven, deja que te ayude. —Me pone las manos en los hombros y empieza a masajearlos. La empujo para apartarla.

—DARCY, ¿QUÉ DEMONIOS ESTÁS HACIENDO? ESTOY PERFECTAMENTE, RELAJADA, TRANQUILA Y BIEN.

—A mí no me lo parece...

—¡ESTOY. MUY. RELAJADA! —Rujo como King Kong y pierdo los estribos por completo.

Empiezo a arañar los cojines del sofá, a lanzarlos por el comedor y a darle patadas a la pared. Me tiro del pelo hasta que hay mechones flotando por todas partes.

—Hola, Alexei, soy Darcy. —Darcy toma mi celular y la veo hablando por él—. Lele está teniendo una especie de crisis nerviosa, necesito refuerzos.

Oh oh, el estrés de haberme convertido en un personaje público está empezando a causar estragos en mí.

Alexei aparece para salvar el día como si fuera Hércules. Estoy tan ida y tengo las pupilas tan dilatadas que le pareció que necesitaba que me rescatara. Ambos me ayudan a tumbarme en el sofá y Alexei me pone una bolsa de hielo sobre la frente. ¡Tengo enfermeras propias!

—Tienes que estar agotada, Lele —dice Alexei—. Subes Vines cada día, la presión es muy grande. Tendrías que intentar tomarte las cosas con más calma, a lo mejor descansar unos días.

Puede que no sea el chico más listo del mundo, pero ¡es tan guapo...! Y ¿les dije que está delicioso?

—Eres muy amable por preocuparte por mí, pero... Espera un momento, ¿traes una cinta alrededor de la cabeza?

No sé por qué no me había fijado hasta ahora, pero Alexei trae una cinta de tela de toalla de color rojo en la cabeza. No para sujetarse el pelo hacia atrás, como hacen las chicas, sino alrededor del perímetro de su cabeza, como un tenista. Pero no es tenista, así que solo puede significar que lo hace porque le parece que es muy *fashion*.

—Sí, ¿por?

—Es un poco raro, ¿no?

—Steve Tao traía una el otro día y no te pareció raro.

—Sí me lo pareció. Pero es que él siempre lleva cosas raras, es parte de su *look*.

—Pues a mí me gusta.

—Es muy machote —añade Darcy.

—Pues sí —estoy de acuerdo—. Y además, con una camisa no pega ni con resistol. Es un complemento que combina con una sudadera o algo así, con algo más masculino.

—O sea, que ¿la cinta es masculina y la camisa no? No entiendo.

—Correcto. La camisa es más *hipster* —dice Darcy.

—¡DIOS! —Entonces capto—. ¿Te estás volviendo *machipster*?

—¿Qué es *machipster*?

—Es una combinación de machote y *hipster*. Ya apuntabas a eso en la fiesta de Steve Tao, pero pensé que sería algo

190

momentáneo. Y ahora vas y apareces con la cinta esa en la cabeza...

—Espera, espera, no soy ni machote ni *hipster*.

Es belga, ¿a lo mejor es *belgipster*? Je, je.

—A lo mejor todavía no, pero vas en camino a convertirte en las dos. En un híbrido. Es la encarnación humana más peligrosa. Y por peligroso me refiero simplemente a despreciable.

—¿Qué tiene de malo? No entiendo de qué están hablando.

¡Es tan guapo cuando está confundido!

—Mira, Alexei, a las chicas respetables no les gustan los machotes ni los *hipsters*. Pero a ver, que te gusten un poco los deportes no te hace un machote, y que leas un poco a J. D. Salinger no te hace un *hipster*, cuando adoptas un cierto estilo de vida te conviertes en uno o en otro. Pero existe esta nueva tendencia por la cual un tipo muy masculino empieza a mostrar ciertas cualidades *hipster* y los dos se empiezan a entremezclar. Por ejemplo, un machote en serio no tocaría un libro ni con un palo, pero una vez que empieza el proceso de hibridación quizá empiece a leer a Hemingway o a Chuck Palahniuk.

—¡Totalmente! —añade Darcy—. A los *machipsters* les encanta *El club de la pelea*.

—Exactamente. Ese es un momento crucial. Hay cosas típicas de machote y cosas típicas de *hipster*, y luego hay intersecciones que apuntan hacia la conversión a *machipster*.

—¿Y les parece que llevar una cinta en la cabeza es una de esas intersecciones?

—Sí. Y la camisa.

—Madre mía. Qué complicado es todo esto.

—No tanto. Si te encanta el *beer pong*, eres un machote. Si compras en Amoeba Music, eres un *hipster*. Si pones discos de vinilo en tu tocadiscos Crosley solo como táctica para seducir a las chicas, entonces eres un *machipster*.

—Entonces... ¿los *machipsters* son el tipo de machotes que adoptan alguna que otra característica estilosa para ligar más?

—Puede. Es difícil describir exactamente la evolución del *machipster*.

—Sin lugar a dudas. Es una criatura muy escurridiza. —Darcy pone voz de profesor universitario—. Los antropólogos no acaban de entenderlo del todo aún. Lo único que sabemos es que es muy desagradable.

—A mí no me suena tan mal. Eres deportista pero también creativo, ¿y qué?

—Este... No, Alexei, ¿no lo entiendes? Un *machipster* no es CREATIVO, solo copia algunas cualidades aquí y allá para engañar a las chicas y convencerlas de que es un tipo creativo y así tener más posibilidades de que se acuesten con él. Tiene accesorios. Todo lo que hace es a propósito, de forma estudiada... Bueno, da igual. Sé un *machipster*, de verdad, como tú veas.

—Ya, Lele, calmémonos un poco.

—¡¿QUÉÉÉ?! Les juro por Dios que voy a...

Me incorporo para tirarle a Alexei un cojín a la cabeza, pero Darcy me detiene. Mis pobres amigos van a necesitar una camisa de fuerza y una carretilla llena de tranquilizantes para caballos si lo que intentan es calmarme.

28

Cuando todo el mundo está por ahí de fiesta menos tú y tus amigos (4 200 250 SEGUIDORES)

Como ya se los dejaba entrever en el capítulo anterior, mentiría si dijera que mi vida es pura alegría y diversión. De hecho, mentiría si dijera que media vida me la paso divirtiéndome. Sin embargo, esta realidad es inaceptable cuando eres una estrella de las redes sociales. Bueno, en realidad es inaceptable para cualquiera. No importa quién seas: tus seguidores esperan que estés pasándola increíble TODO EL TIEMPO. Sobre todo cuando eres una chica de mi edad.

—No puedo creer que ya sea viernes —dice Darcy. Está hojeando una revista sentada en mi cama mientras yo me estoy examinando los poros en el espejo de aumento—. Podríamos hacer algo divertido. ¿No hay ninguna fiesta hoy?

—Uf, Darcy. No sé si pueda. O sea, quizá sí podríamos, e incluso deberíamos, pero todo requiere tanto esfuerzo... ¿Cómo le hace la gente? Tras una semana de clases lo único que quiero hacer es sentarme a comer masa de galletas de chocolate y ver la tele.

—Por mí está bien. ¡Espera! —Saca su teléfono y empieza a curiosear Instagram—. Yvette y las Salchichas están en Lure.

Empezamos a llamar Salchichas a las amigas de Yvette por el modo que tienen de meterse en vestidos hiperajustados, y Lure es un club que hay en el centro de Miami en el que los chicos de nuestra edad juegan a que son mayores.

—¿Qué? ¿Y no nos invitaron? —Estoy tan indignada que casi me ahogo con la masa para galletas.

—Seguramente porque no tenemos identificaciones falsas.

—¡Ja! Yo podría tener una identificación falsa si quisiera. No es justo, ¡quiero ir a Lure! Dios, Darcy, no hay manera de que me salga nada bien.

—¿Y a quién le importa? La estamos pasando bien en casa.

—No, la vamos a pasar bien saliendo.

—¿Ah, sí?

—Bueno, la gente CREERÁ que salimos. —Tengo un brillo diabólico en la mirada. Lo siento.

—¿De qué demonios hablas, Lele?

—Ahora lo verás. Confía en mí.

Llegó la hora de la Operación InstaParty.

Aquí tienen todos los ingredientes para fingir que están por ahí pasándolo bomba cuando en realidad están en casa sin hacer nada:

Una sábana negra

Les servirá de fondo para sus fotos y dará la sensación de que están en un antro oscuro, o incluso en uno de esos bares súper de moda con cabinas de fotos.

Un *selfie stick*
Lo usarán para fingir que le pidieron a desconocidos que les tomaran fotos.

Copas de coctel
Posarán con ellas para que parezca de verdad que pidieron cocteles. En serio, pueden usar cualquier tipo de vaso o copa dependiendo del tipo de bar en el que quieran fingir que están (por ejemplo, vasos de plástico si se supone que es la fiesta de una fraternidad), siempre que no elijan su taza favorita de la Sirenita, claro, esa que todavía usan cuando toman chocolate caliente para animarse.

Ropa sexy
Si quieren que la gente piense que estaban por ahí reventándose tendrán que vestirse para que parezca cierto.

Tardamos veinte minutos en colgar la sábana negra porque las tachuelas no paran de caerse y Darcy no tiene mucho equilibrio, pero al final lo logramos y estamos listas para empezar. El resto de la sesión fotográfica fluye como el agua y resulta muy sencilla: solo nos lleva diez minutos capturar una experiencia que nos hubiera costado horas y horas si hubiéramos salido a vivirla de verdad. Nuestra capacidad para ahorrar tiempo es impresionante, en mi humilde opinión. Las dos nos ponemos *tops* de color blanco con cuello *halter* y faldas coloridas de American Apparel, y luego tomamos un montón de jugos diferentes mientras posamos ante el *selfie stick*. El resultado son unas treinta y cinco fotos nuestras divirtiéndonos con mucho estilo. Luego ponemos *Get Low* de Lil Jon y filmamos nuestros baileteos con el *selfie stick* para subirlo a Snapchat. Si tienes dieciséis años y ocurrió en Instagram pero no en Snapchat, entonces no ocurrió.

¡InstaParty finalizada!

—Parece que la pasaron genial el viernes, ¿no? —nos dice Yvette el lunes en el vestuario. Detecto cierto sarcasmo en su voz, incluso un toque de celos.

—Sí, fue lo mejor.

—¿Adónde fueron?

—A un antro nuevo... —me encojo de hombros—, en el centro.

—Genial, ¿cómo se llama?

—Pues... —Me volteo intentando verme discreta. De repente veo un candado en una de los casilleros detrás de Yvette—. Cerrojo —digo. ¡Ay, no!

—¿Cerrojo? ¿Se llama así?

—Sip —asiento, esperando que no lo busque en Google.

—Qué raro, no me suena nada.

—Ya, es que es muy nuevo.

—Okey. Lo que tú digas. Espero que la hayan pasado genial en el tal Cerrojo.

—Sí, fue la bomba. Y ¿qué tal en Lure? —pregunto, pero ya se fue caminando.

29

Cómo conseguir que los chicos te presten atención / La que siempre hace trampa
(4 318 722 SEGUIDORES)

*A*lexei me invita a su casa después de clase el martes. Primero pienso en rechazar la oferta para que parezca que soy una chica dura y difícil de conseguir, pero luego accedo para no parecer una tipa dura y difícil de conseguir. Al final veo que no me ha invitado solamente a mí, sino a un montón de gente de la escuela. Primero me decepcionó pensar que no quería pasar tiempo a solas conmigo, pero luego me puse contenta al pensar que me considera lo suficientemente *cool* como para quedar con él y sus amigos. Luego me decepcioné de nuevo cuando vi que solo querían jugar videojuegos, algo que, por si no les ha quedado claro todavía, me parece un aburrimiento mortal. ¿Pueden creer que un montón de chicos del colegio prefieran pasar la tarde jugando videojuegos que con una chica de carne y hueso? ¿Una chica rubia con las tetas grandes? ¿Una chica rubia con las tetas grandes que es una *celebrity* en internet? Lo sé, es muy triste, pero cierto.

—Chicos, ¿no quieren jugar verdad o prenda? —propongo.

—¿Eso no es para niños de secundaria? —responde Jake.

—Mmm... ¿Y *Mario Kart* no es para niños de primaria?

—¡No! —gritan todos al unísono. Jesús.

—*Mario Kart* es un juego genial que seguirá siendo genial durante el resto de la eternidad —dice Alexei con el ceño fruncido y los pulgares *on fire* en el mando.

Nada mata el amor como ver al chico objeto de tu deseo agarrando el control de la consola como si no hubiera mañana.

—Bueno, como vean —añado—. Creo que me iré a dar un chapuzón entonces. ¡Ay, no! ¡No traje bikini! Tendré que bañarme desnuda... —Ni caso. Sin respuesta. Los chicos miran la pantalla con más tenacidad y deseo cibernético que antes incluso—. ¿Están bromeando o qué? Ya, esto es ridículo, voy a ponerle fin AHORA MISMO.

Me dirijo a la tele y la desenchufo.

—¡Noooooo! ¡Lele!

Cualquiera diría que acabo de matar a sus madres.

—Ay, Dios. ¿Qué hiciste? ¡Ahora perderemos todas nuestras puntuaciones! —Esto lo dice Brian, un ignorante de cuarta que es 99 % machote y 1 % *hipster*.

—Apagué la tele, Brian. Soy una chica y estoy aquí para pasar el rato con ustedes. Y no, no me gustan los videojuegos. Y sí, necesito que me presten algo de atención. Así que esto es lo que vamos a hacer. Vamos a levantar esos traseros del sillón y hacer algo que resulte divertido para todos, ¿okey?

Al final, resulta que los chicos responden súper bien a las órdenes de una chica dominante.

—Sí, claro, no hay problema. —Alexei se apresura a hacerme caso—. ¿Qué quieres que hagamos?

—Cualquier cosa que no sea jugar videojuegos.

—Genial —dice Brian—, ¿y si jugamos basquetbol?

—¡Sí! —Jake y Alexei chocan los cinco.

Uf. ¿Por qué tuve que decir «cualquier cosa que no sea jugar videojuegos»? A veces se me olvida lo cortitos que son los chicos. Nota mental: cuando estés con hombres, sé más específica.

Bueno, acepto, voy a jugar basquetbol, pero no voy a seguir las reglas. ¿Por qué? Porque soy una renegada, soy una rebelde... y, además, no conozco las reglas.

Formo equipo con Alexei contra Brian y Jake, y odiaría perder y que mi amor piense que la causa de la derrota es que soy una chica, así que decido hacer cualquier cosa para ganar. Tomo la pelota y la aprieto contra mi pecho muy fuerte cada vez que alguien se me acerca, y no me importa clavarle el hombro a un oponente si es necesario. Cuando Jake o Brian intentan acusarme me hago la inocente y les pongo ojitos:

—¿Quién, yo? Soy una chica, no sé lo que hago.

Al final estoy a punto de encestar, pero me falta un poquito de altura, así que salto sobre una silla de jardín y ¡ZAS! Victoria.

—Lele, no puedes hacer eso —protesta Brian.

—Ay, vamos, chicos, no sean tan malos perdedores. perdón por ser tan buena.

—Estás loco —dice Jake, pero lo dice riendo y lanzándole a Alexei una mirada que quiere decir: «Esta tipa es buena, cásate con ella». No sé por qué mi fantasía implica que el amigo de Alexei me cosifique de esa forma, pero bueno, eso ya es problema de mi terapeuta.

(No, no voy a terapia, pero a como van las cosas últimamente, seguro acabo en el diván antes de lo que canta un gallo.)

30

Eneamigas / La típica persona que solo es amiga tuya en la escuela
(4 850 544 SEGUIDORES)

*L*os chicos no son la cosa más divertida del mundo, pero al menos siempre sabes a qué atenerte con ellos. Con chicas como Yvette, nunca tienes ni idea. Primero me odiaba, luego me adoraba con locura y ahora oscila a diario entre mostrarse afectuosa y distante, como si no confiara en mí. Me siento todo el tiempo como si estuviera observándome con lupa, y la verdad es que resulta agotador.

—No tengo ni idea de si le caigo bien a esa chica o no; es como si tuviera doble personalidad —le comento a Darcy durante la comida.

Decidimos tomarnos el día libre de Yvette y las Salchichas para recobrar energía y volver a entrar en contacto con nuestros verdaderos yos. Estamos sentadas en un montículo cubierto de hierba que hay detrás del edificio de inglés, y Darcy me está trenzando el pelo.

—Yo creo que sí le caes bien. Te admira, lo noto.

—Entonces ¿por qué se porta como una... amargada? Además, nunca nos invita a los lugares de moda a los que va, y yo en cambio hice un esfuerzo para conseguir que viniera a la sesión de Steve Tao

—Lele, ¿de verdad no lo ves? ¿En serio tengo que explicarte algo tan obvio? —Darcy pone los ojos en blanco.

—Mmm, sí, mejor, es que soy un poco lenta para esas cosas, Darcy, ya lo sabes.

Me gusta decir esto de vez en cuando, porque como soy muy lista y todo el mundo lo sabe, no suena como si me estuviera denigrando a mí misma ni nada por el estilo. Y tampoco suena como si estuviera presumiendo, porque técnicamente me estoy criticando, pero como todo el mundo sabe que soy una chica lista, decir que no lo soy llama la atención acerca del hecho de que lo soy, por tanto, sí es presumir, ¿no? Pero es una forma de presumir muy rebuscada y encubierta y estoy orgullosa de mí por haberla inventado. Ah, no, espera, seguro alguien ya lo había hecho antes. Ay... #presumodestia.

—Te tiene celos. Todo el mundo te pone un montón de atención y a ella no. No te invita a ningún lado fuera del colegio porque no importa adónde vayas, tú te robas toda la atención, y entonces le hacen menos caso a ella. Cuando está sola con su pandilla, es la estrella, y le encanta.

—Interesante. Pero en la escuela siempre quiere hablar conmigo. La mayoría de los días me trata como si fuera su mejor amiga. Aunque creo que no me ha escrito nunca un mensaje para vernos fuera de aquí.

—En la escuela sigue siendo la estrella. La gente aquí la conoce y recuerda cuando era la reina. Pero fuera de clase nadie sabe quién es. En cambio, ¡tú eres la estrella de verdad!

—Yo solo soy conocida en internet, no sé si eso me convierte en una estrella, la verdad.

—Amiga, ¿hola? Tienes casi cinco millones de seguidores. Tus fans son súper fieles. Eso es mucho decir, amiga mía.

—Ya, supongo que tienes razón. —Sonrío, sintiéndome afortunada de haber conseguido todo eso.

—Pero no le des muchas vueltas. Sean amigas en clase y ya. No hay nada de malo en ser solo eso.

—¿Eso es una forma de amistad? —pregunto.

¿Amigas en clase? Y ¿qué se supone que es eso?

—Pues claro, quiere decir que van juntas a la misma escuela, pero después de clase, si te vi ni me acuerdo.

—¡Qué fuerte!

—Bueno, la vida es dura, Lele —se lamenta Darcy con un suspiro.

—Genial, arréglalo un poco más si puedes...

—De nada.

¿Estará bien Darcy o le pasará algo? A veces me cuesta recordar que no soy el centro del universo: el resto de la humanidad también tiene problemas.

Al día siguiente decido poner a prueba la teoría de Darcy. Cuando veo a Yvette en la puerta de entrada voy corriendo hacia ella y le cubro los ojos con las manos.

—¿Quién soy? —pregunto.

—¡Dios! Pero ¿qué haces, puta loca? —grita contenta, volteándose para reír conmigo.

—Ese es mi nombre, ¡no me lo gastes!

—Te extrañé mucho, ¿dónde te metiste anoche?

—¿A qué te refieres?

—Maddie hizo una pequeña reunión en su casa, pensé que irías.

—¡Nadie me dijo! —Pongo cara de fingir que estoy enojada, aunque en realidad no es más que una astuta forma de esconder que lo estoy, y mucho.

—Pensé que lo sabrías. Como siempre te enteras de todo... Estás tan en la onda que la onda se forma a tu alrededor.

—¿Es eso lo que crees? —Estamos subiendo la escalera hacia el edificio central y de repente me posee un ardiente deseo de sincerarme—. Nada más lejos de la realidad. Sigo siendo una pobre *loser* guion marginada guion solitaria. Tener tantos seguidores en Vine no ha cambiado eso en lo más mínimo.

—¿En serio? Guau, nunca lo hubiera imaginado. Perdón linda, la próxima vez que haya algún evento me aseguraré de que te enteres.

Pone una mano sobre mi brazo, en plan perdonavidas. Me siento como un cachorrito que se acercó a su dueño para que le rascaran la panza. El objetivo principal es que Yvette no me vea como una amenaza. Parece ser que no quiere que seamos solo amigas en clase, así que me alegro de haber arreglado la situación antes de que se saliera de control. Uf, la vida no para de lanzarme bolas curvas y yo siempre consigo desviarlas, menos mal.

En clase de educación física, la entrenadora Washington nos dice que vayamos a las canchas de tenis.

—Busquen una pareja y asegúrense de que sea alguien a quien soporten, porque van a jugar tenis contra ella las próximas seis semanas. Si no encuentran a nadie, yo les asignaré a alguien, y una vez que lo haya escogido, no van a poder cambiar, así que les sugiero que lo hagan ustedes mismos.

Ay, Dios, pero ¿qué le pasa a esta mujer? Siempre está enojada y es muy vengativa, ¿qué le hicimos nosotros? Yvette salta hacia mí para ser mi pareja y escogemos la pista más alejada del gimnasio, la que está junto al estacionamiento de los mayores. En otras palabras, estamos lo suficientemente lejos de la entrenadora Washington como para poder bromear y chismear, inventarnos las reglas del juego sobre la marcha y solo fingir que jugamos en serio cuando se acerca a supervisarnos. Nos lanzamos la pelota la una a la otra sin ganas un rato y luego subimos a la red para que Yvette me cuente que es posible que Becca se mude a España con un chico que conoció allí el verano anterior.

—¡¿QUÉ?!

—¡Calla!, o vendrá la Washington a ver qué pasa. Disimula.

—¿Que disimule? ¿Después de escuchar que una de nuestras amigas se va a fugar con un tipo al que conoció el pasado verano? Si solo tiene dieciséis años, ¡está tarada!

—No es tan descabellado como suena. Su familia es muy internacional. Sus padres son de Londres.

—¿De Londres? No me parece que eso haga menos descabellada la situación. ¿Y la van a dejar ir así, sin más?

—No les apasiona la idea, la verdad.

—¿Conocen al chico al menos? ¿Es esto legal siquiera? Una chica de dieciséis tendría que vivir con un tutor legal al menos, ¿no?

—Pues no sé —Yvette se encoge de hombros—, a mí me parece que es súper romántico.

—Supongo, pero... ¿cómo sabe que no es un psicópata? ¿Pasaron el verano juntos y ya cree que conoce a ese chiflado?

—Ay, Lele, qué adorable eres. De verdad te preocupa la gente que te rodea y su bienestar. Es fascinante. Pero no, Gavin no es ningún psicópata, ya revisé todo su Instagram.

—Primero, ¿qué clase de nombre es Gavin? Tiene nombre de seductor de jovencitas.

—¡JA, JA, JA! ¿Por qué Gavin te suena a nombre de seductor de jovencitas?

—¡Porque sí!

—Bueno, pues si se muda, yo pienso ir a verla. Siempre he querido visitar España, ¡tienes que venir tú también!

—¿Cuántos años tiene este tipo?

—No sé, ¿importa?

—Pues importa si tiene setenta.

—¡Ay, Lele! —Se ataca de la risa—. No me había dado cuenta de que tenías una mentalidad tan cerrada. —Me lanza una pelota de tenis a la cabeza. La atrapo en el aire.

—¡Y yo no sabía que tú fueras una pervertida! —Se la devuelvo.

—¡Mira quién habla!

—¡Te la estás buscando!

Salto la red e intento placar a Yvette. La entrenadora Washington empieza a soplar su silbato para que paremos, corriendo arriba y abajo, y casi nos morimos de la risa.

Cuando termina la última clase, me reúno con Yvette junto a los casilleros y caminamos hacia la salida.

—¿Qué planes tienes para hoy? —pregunto, pensando que quizá podríamos salir por ahí un rato, o relajarnos sin más.

—Tarea y luego cena con la familia —dice—. Te veo mañana. —Y luego se va de forma un poco brusca y me deja ahí plantada.

Esperen un momento, entonces ¿sí somos amigas solo en el colegio? Darcy siempre tiene razón.

Esta situación tan rara se vuelve aún más rara cinco horas más tarde, como a las ocho, cuando me voy sola hasta Ben & Jerry's, una tradición que mantengo desde que tengo uso de razón. En realidad no es exactamente una tradición, porque intento ir a Ben & Jerry's tan a menudo como puedo. Pero en fin, resulta que voy por la calle en dirección a la nave nodriza de los helados cuando veo nada más y nada menos que a Yvette Amparo paseando hacia mí. Lleva el vestido más bonito que he visto en mi vida: rosa pálido, de tela de camiseta, con una falda acampanada pegada a un *top* de lycra de escote cuadrado y mangas con los hombros descubiertos. Yo voy en sudadera y pants.

—¿Lele?

—¡Yvette! ¿Qué haces aquí?

—Pues, te va a sonar un poco raro, pero siempre vengo por un helado cuando mi familia me está volviendo loca.

—¡Guau! ¡Igual que yo! O sea, a todas horas —le confieso.

—Como yo. Tengo una familia gigante y están todos locos.

—Yo soy hija única, pero mis padres pueden llegar a ser bastante intensos.

Yvette me dedica una sonrisa comprensiva y me sigue al interior de la heladería.

Al salir de Ben & Jerry's nos damos un abrazo y, *voilà!*, intercambiamos nuestros *outfits* como por arte de magia: yo llevo su precioso vestido y ella mi sudadera, y para cuando se da cuenta de lo que pasó yo ya estoy corriendo calle abajo.

Megarrápido.

Bueno, no, esto último no pasa, pero con Coachella a la vuelta de la esquina solo puedo pensar en una cosa, y esa cosa es ¿¿qué demonios me pongo??

31

Cuando mi amiga y yo pedimos ir al baño en la hora de clase (5 000 001 SEGUIDORES)

¡**C**oachella! ¡Coachella! ¡Coachella! ¡Qué nombre tan mágico para un festival de música! Dice la leyenda que si lo pronuncias seis veces seguidas tu piel empezará a brillar en la oscuridad y desaparecerás para siempre. Okey, eso lo inventé, pero alguien tiene que crear las leyendas, y ¿por qué no puedo ser yo ese alguien? Diosss, casi no puedo contener la emoción mientras escribo esto, pero allá vamos:

Steve Tao me invitó a volar a California y a estar con él en la tienda VIP y el *backstage* del festival. ¡¿Yo?! ¿En California? ¿Y si exploto de éxtasis en el avión y los sobrecargos tienen que limpiar los trocitos de mi cerebro y vísceras que se hayan quedado pegados en los cristales de las ventanillas? Y en los asientos... Seguro no se quita nunca.

Darcy, muy amable, se ofreció a ir conmigo, y en el último minuto Alexei me contó que ya había planeado ir a Coachella antes de mudarse a Estados Unidos, aunque me pareció un poco sospechoso. Seguro que lo inventó para pasar tiempo conmigo sin verse desesperado, ahora que está enamorado de mí y voy a tener hijos suyos, ya saben.

Nos perderemos clases por ir al festival, lo que contaría como faltas no justificadas, y por tanto tendríamos que recuperar el tiempo que no asistiéramos al colegio, así que vamos a mantener nuestra pequeña excursión en secreto. Eso significa, aunque me pese, que no podré grabar ningún Vine. Bueno, sí, grabaremos algunos aquí, pero no los podremos subir hasta que regresemos. Ya ven, nos estamos asalvajando, estamos fuera de la ley, *oh, yeah!* Somos como los primeros colonos viajando hacia el salvaje Oeste sin nada que llevarse a la boca pero con la compañía del otro y la fe de que todo saldrá bien. Bueno, no es exactamente así, pero ya saben a qué me refiero. Cuando volvamos a casa falsificaremos unos justificantes médicos y nos volverán a recibir con los brazos abiertos. Tras siete horas seguidas de debatir y convencer, mis padres decidieron que solo se vive una vez y que me dejaban ir, siempre y cuando les prometiera que no consumiría drogas ni pondría en peligro mi vida. Me parecen dos sabios consejos, la verdad. A los padres de Alexei no parece importarles mucho lo que haga su hijo, y los de Darcy resulta que están de vacaciones, algo que no puede ser más que el destino, en mi humilde opinión.

Es como si el universo quisiera que fuéramos a Coachella, está clarísimo.

El vuelo fluye a la perfección: Alexei y Darcy toman unas pastillas para dormir y yo, por culpa del tedio y del aburrimiento, me dedico a pintarrajearles la cara. Nada muy elaborado, solo bigotitos y lentes y la cicatriz de Harry Potter en la frente de Alexei. Me paso horas con la mirada fija en la puerta del baño pensando cómo es posible que la gente practique sexo ahí y cómo es que se les ocurra siquiera. Primero, ya es complicado meter ahí a una persona, así que no sé cómo caben dos dándose pasión. Y segundo, huele como a una combinación de cloaca con limpiador de olor a limón; no puedo estar ahí dos segundos sin querer vomitar. Pero, oye, si es lo que te gusta, no te juzgo.

Nuestro hotel en Palm Springs se llama Ace Hotel y es el más *cool* del planeta. Tiene esa onda de desierto y de indios y vaqueros, con camas estilo chic campestre y mapas antiguos colgados en las paredes y una alberca en la que puedes relajarte y pedir comida y bebidas, que te traen unos meseros que están como quieren. Pero no es a eso a lo que vinimos.

Para los que no lo sepan, Coachella es un festival de música y arte que dura tres días y al que todo el mundo que es alguien acude a ver a sus estrellas favoritas y toma éxtasis y corre por ahí desnudo y toma fotos, y aquí estamos nosotros, en mitad de todo esto, ¡en el ojo del huracán! En realidad no es tan salvaje como cuentan, pero sí son tres días en los que te puedes volver loco.

Outkast, Arcade Fire, Lana del Rey, Lorde, Dum Dum Girls, Ellie Goulding, Muse, Haim, Sleigh Bells, Kid Cudi, Krewella, STRFKR, the Naked and Famous, Cage the Elephant, Little Dragon, Toy Dolls, Skrillex, Girl Talk, Chvrches, AFI y los 1975, Kendall y Kylie Jenner y Selena Gómez y Justin Bieber y Emma Roberts y Paris Hilton y Katy Perry y Leonardo DiCaprio y Jaden Smith y... David Hasselhoff, a quien tuve que buscar en Google a escondidas para no delatar lo joven que soy.

Un astronauta gigante revolotea cien metros sobre nuestras cabezas y hay un robot animado y jacarandas de la altura de edificios enteros y luces que van del naranja al rosa, del rosa al amarillo, del amarillo al azul, del azul al verde, y hay construcciones arquitectónicas en miniatura en las que te puedes meter, como una casita de Hansel y Gretel y una caseta de primeros auxilios y otra casa hecha de palos de paleta (supongo que todo esto es increíble si estás drogado, pero yo no he ingerido nada, no molesten), y palmeras color lila y un portal giratorio y caleidoscópico que puedes atravesar y un ciempiés del tamaño de una habitación que tiene un jardín encima, y hay una estructura metálica de cien metros de alto cubierta con una lona que contiene luces multicolor que interactúan con sombras para crear un espectáculo dramático, y un campo de girasoles de cartón y un correcaminos hecho de chatarra que sostiene un columpio con el pico, y una torre cubierta de espejos que lo convierte todo en un cubo como si un fragmento del espacio hubiera sido cortado geométricamente en diferentes caras, y allí descubrimos que el universo entero es en realidad un diamante.

Y bailamos y cantamos a todo pulmón y no dormimos en los tres días. Nunca habíamos hecho nada tan precioso.

Pero la fantasía se desvanece abruptamente el domingo por la noche cuando nos subimos al avión de vuelta a Miami.

—Dios, tengo millones de fotos increíbles para Instagram —dice Alexei.

—¡Hey! No las puedes subir, ¿recuerdas? Dijimos que nada de fotos para no meternos en problemas.

—Ay... Pues ya subí algunas.

—Alexei, preciosa criatura, te voy a matar.

32

El verdadero y único amor de Lele: su iPhone
(5 199 900 SEGUIDORES)

—*B*ienvenidos los tres —nos saluda el señor Contreras al día siguiente, todo sarcástico y mordaz—. ¿Qué tal Coachella?

—Esteee...

—Pues...

Toda la clase nos está mirando y a la vez se ponen a buscar en Instagram, casi verdes de envidia. Ya saben lo celosa que es la gente, siempre quieren arruinarle a una la fiesta.

—¿Saben qué? ¡Al diablo! —digo—. Fue lo más increíble que he hecho en la vida. Estuvimos con un montón de *celebrities* y vimos a todos nuestros grupos favoritos y nos volvimos completamente locos y no me arrepiento en lo más mínimo. Así que ¡hagan sonar las alarmas! ¡Saquen la guillotina! ¡Podrán arrebatarme la vida, pero no podrán arrebatarme lo que viví en Coachella!

—Cálmate, Lele, creo que estás llevando las cosas demasiado lejos...

—Bien —dice el señor Contreras—, como castigo por saltarse las clases les voy a quitar los teléfonos. Durante una semana.

—¡¡¡Noooooooooooooooooooo!!! —grito. ¡Esto es mucho peor que la guillotina! Pero luego me doy cuenta—: Un momento, no puede hacer eso. Solo es nuestro profesor de inglés. —Buenos reflejos, Lele.

—Quizá no me lo pueda quedar toda la semana. Pero puedo quitárselos ahora mismo, durante esta hora.

—¡¡¡Noooooooooooooooooooo!!!

Eso duele. Duele mucho. Le damos nuestros celulares y los pone sobre su mesa, DONDE TENGO A MI ADORADO IPHONE EN MI CAMPO DE VISIÓN. Es como si me estuviera provocando a propósito.

Mientras el señor Contreras, también conocido como Hitler, también conocido como el Demonio, nos sermonea sobre figuras retóricas (hipérbole, aliteración, etcétera), me pongo a soñar despierta, no lo puedo evitar, ¡el sueño es tan agradable...!

Soy una valiente, soy una aventurera, me subo a mi mesa y desde allí voy saltando de mesa en mesa, mientras el señor Contreras escribe en el pizarrón, recorriendo toda la clase hasta llegar a la del profesor, y una vez allí recupero mi teléfono y lo levanto por encima de mi cabeza como si fuera una campeona olímpica.

Pero pronto vuelvo a la realidad: estoy sola, sin mi único y verdadero amor, sin mi rayo de sol.

El señor Contreras se llevó mi rayo de sol y seguro que nunca nunca lo podré perdonar. ¿Es que no entiende que mi teléfono es mi vida? Sin él no sería nada, literalmente, o al menos no habría conseguido ser una estrella en las redes, eso seguro.

Una vez que recupero mi celular, me aferro a él como una madre reuniéndose con su hijito perdido. Juro que nunca lo volveré a perder de vista.

A la mañana siguiente, una Lele con falta de sueño después de tres días de festival no oye ninguna de las alarmas. Disculpen que hable de mí en tercera persona, pero ese es el tipo de cosas que empiezan a pasarme cuando estoy tan cansada que deliro.

—¡LELE! ¡Levántate! —Es mamá, que me jala del pie que sale por debajo de las sábanas. Le doy una patada para que se aleje—. ¡Levántate, levántate, levántate! Vas a llegar tarde a la escuela y ya perdiste demasiadas clases con tus travesuras! —Zzzzzz. Además, mamá y papá me dejaron ir a Coachella, así que también tienen parte de la culpa, ¿no?—. Lele, si no te levantas ahora mismo ¡estás castigada sin salir de la casa! —Oigo su voz en la distancia, pero es que no puedo ni moverme.

—Cinco minutos más... —balbuceo.

—¡Ni un minuto más! Si pierdes más clases te van a expulsar, ¿es eso lo que pretendes?

—Sí, así podré dormir más.

—Dios, Lele, ya estuvo bueno. —Mamá se va de mi habitación; por un segundo creo que estoy salvada, pero entonces vuelve y trae con ella una pequeña jarra de agua... ¡QUE ME TIRA EN LA CARA!

—Mamá... Estás loca... —farfullo, con los ojos todavía cerrados—. Esta te la voy a devolver.

—Ah, ya sé lo que va a hacer que te levantes.

—Nada.

—Ya se me ocurrirá algo —dice, súper orgullosa de sí misma—. Me llevaré esto.

No, no, no puede ser, cualquier cosa menos eso. La oigo tomar mi celular del buró e irse caminando.

—¡No! —Salto de la cama y la detengo contra el suelo—. ¡Dámelo y nadie saldrá herido!

—¿Ves? —Casi se da palmaditas en la espalda—. Siempre funciona.

Ese fue el principio de un día muy extraño para mi celular. Sufrió un montón de contratiempos. Supongo que Dios me está castigando por saltarme clases poniendo en peligro mi posesión más preciada. Nunca hubiera imaginado que Dios y el señor Contreras estuvieran confabulados.

Primero, en clase de educación física, tengo el celular sujeto con el elástico de mi ropa interior para saber dónde está en todo momento. Mientras juego tenis contra Yvette, mi iPhone sale volando hacia un árbol y cae al suelo. Corro hacia él, lo recojo y siento un alivio tremendo al comprobar que está intacto, sin ningún arañazo ni rasguño.

Luego, cuando paso por el campo de golf, se me cae el teléfono sin querer y un tipo lo golpea ¡con el palo de golf! De nuevo, sale volando y, de nuevo, lo recupero intacto como por arte de magia.

De camino a casa, con Darcy, digo algo chistoso (como casi siempre, nada del otro mundo) y la hago reír tanto que se choca contra mí y me tira el móvil de la mano. Cae en espiral hasta la calle, y veo que se acerca un coche. Valoro si debería saltar por él, pero a regañadientes me resigno a quedarme quieta viendo cómo el vehículo lo aplasta. Y esta es la parte extraña del día, cuando empiezo a creer que los ángeles me protegen, porque mi teléfono sobrevivió a su tercer ataque. ¡Sin un rasguño! Los milagros ocurren, ¡me ocurren a mí!

Pero parece que justo ahora se me acabó la racha de buena suerte. Cuando llego a casa después de un largo y agitado día y dejo mi teléfono con suavidad sobre la mesa del comedor, SE HACE AÑICOS.

El pobrecillo sucumbe finalmente a toda la presión de la jornada y se desmenuza en cientos de trizas.

Creo que nunca seré capaz de volver a amar.

33

Mejores calificaciones / Chicas blancas en el cine
(5 850 551 SEGUIDORES)

*P*ero lo hago, soy capaz de volver a amar. Al final resulta que ya me tocaba cambiar, y mi nuevo iPhone 6 es lo máximo. Lo escojo en blanco y dorado porque últimamente me siento como una superestrella del rock. Ni siquiera le pongo una funda, porque soy una chica dura y no aprendo de mis errores.

A tercera hora, en cálculo, nos entregan las calificaciones de un examen sorpresa que hicimos hace poco y para mi horror, aunque no me extraña, saqué siete. ¡Ay! Soy bastante lista aunque no saque en todo diez, y un siete es un bajón. Pero claro, era un examen sorpresa. ¿Cómo se supone que voy a sacar un buen resultado en un examen de matemáticas si no sé que voy a tener un examen con la suficiente antelación como para escribirme todas las respuestas en la mano? Me parece muy poco razonable, para serles sincera. Por supuesto, Darcy, que está sentada a mi lado, saca diez. ¿Por qué tiene esta chica que ser tan lista todo el tiempo? Seguro ni estudió. Las cosas se le quedan de forma natural, sin hacer ningún tipo de esfuerzo. Me gustaría poder estar orgullosa de ella, pero lo que estoy es celosa, pura y llanamente.

—¿Cuánto sacaste?

—Siete.

—Ah, yo diez.

—Sí, Darcy, ya vi. No hace falta que me lo restriegues en la cara.

Se ríe, yo me río, se vuelve a reír, me río, y durante todo este proceso sostengo un encendedor junto a su examen. No se da cuenta hasta que empieza a arder y el olor a papel quemado inunda el aula.

¡Ay, no! De inmediato me envían a la oficina de la directora porque, según parece, causar incendios en clase es una falta grave.

—Lele, ¿en qué estabas pensando?

La directora, la señora Lombardo, está sentada detrás de su escritorio, que está lleno de muñecos de Dr. Who y de fotos de los que supongo que son sus hijos. Tiene el pelo castaño con toques grises como de abuela y trae puesto un traje sastre color beige. En las paredes hay varios pósters de gatos vestidos de humano y uno de Garfield en el que dice que odia los lunes.

—¿Tienes idea de lo peligroso que puede resultar prenderle fuego a una hoja de papel dentro de clase? ¿Y si la situación se hubiera descontrolado? ¿Y si hubieras incendiado el salón? ¿O la escuela entera? ¿Te pasó por la cabeza un segundo siquiera? Te hubiera expulsado para siempre. Incluso habría tenido que llamar a la policía, Lele, ¿lo entiendes? ¿Crees que puedes hacer lo que te dé la gana solo porque eres un poco famosa? De verdad, no se me ocurre en qué estabas pensando.

Mi primera reacción me impulsa a decirle que no soy un poco famosa, sino un mucho famosa a estas alturas (¡casi mil millones de reproducciones!), pero me muerdo la lengua. Nota mental: Casi Un Mucho Famosa me parece una gran idea para un Vine.

—Bueno —respiro hondo—, para serle sincera, dejé que los celos se apoderaran de mí. Darcy Smith, la chica cuyo examen quemé, es una muy buena amiga mía, y mucho más lista que yo. Quizá no en todos los sentidos, pero sí en los estudios. Y eso hace que me sienta mal. —Pongo los ojos un poco llorosos, lo último que necesito es que me arresten por un pequeño incendio, y no puedes enviar a la cárcel a una pobre chica vulnerable que está abriéndote su corazón y contándote sus complejos, ¿verdad?—. Así que cuando Darcy empezó a presumir que sacó diez en el examen incluso sabiendo que yo había sacado un siete perdí los estribos. Puse el encendedor debajo de su examen en broma, pero luego me di cuenta de lo fácil que resultaría quemarlo. Pero enseguida me sentí fatal. Estoy muy avergonzada, señora Lombardo. Me encantaría poder alegrarme por mi amiga. No lo hice con malas intenciones, fue una broma, pero ahora veo lo horrible que es. No sé en quién me he convertido. ¡Me siento patética! —Y entonces me echo a llorar desconsoladamente, medio haciendo drama y medio sintiendo de verdad lo que dije.

La parte teatral intenta ablandar a la señora Lombardo para que me tenga lástima y no me castigue. Pero las lágrimas reales vienen porque me di cuenta de que no me siento a gusto en mi piel ni tengo confianza en mí misma. Estoy teniendo éxito a una edad muy temprana, y eso es bueno, pero no quiere decir que tenga mucho más claro que antes quién soy y qué quiero en la vida. Ni me siento más querida por ello. Mientras lloro me doy cuenta de que no me había dado cuenta de lo insegura que me he sentido estos últimos meses. Ahora ya salió todo a la luz.

—Ay, cielo —dice la señora Lombardo mientras me pasa una caja de pañuelos de papel con flamingos y se acerca como si quisiera acariciarme la cabeza—. Recuerdo que cuando tenía tu edad ¡era muy insegura! Igual que todos, forma parte de la adolescencia. Mucha gente no empieza a sentirse a gusto consigo misma hasta que está en la universidad. O incluso después, cuando consiguen su primer trabajo. Y hasta hay gente que no se siente bien hasta entrados los 30. O los 40. O hasta que se jubilan. Para serte sincera, creo que la mayoría de la gente no acaba nunca sintiéndose a gusto con quienes son en realidad. —Me guiña el ojo—. Pero, oye, esto no tiene por qué hacerte sentir mal, al contrario, deberías alegrarte un poco porque esto demuestra que ¡no estás sola! No sentirse a gusto con uno mismo es algo a lo que todos nos enfrentamos en un momento u otro, y los que no tienen que lidiar con ello nunca probablemente son psicópatas. Como mi exmarido, por ejemplo... Creo que una buena forma de sentirse mejor en la propia piel es valorar a los amigos tal y como son y darse cuenta de que todos somos diferentes y que eso no nos hace a unos más o menos especiales que los demás. Tú eres especial por ser tú y ellos son especiales por ser ellos. No hay dos personas iguales, ¡y por eso todos somos maravillosos! Esto te va a sonar a libro de autoayuda, pero ¡créeme! Llevo bastante tiempo en este mundo como para saber este tipo de cosas. —Dios santo, ¿podría ser esta mujer menos empática? No entendió nada—. No te compares con los demás, concéntrate en tus puntos fuertes y ámate de forma incondicional, incluso cuando te sientas débil. Vaya, el discursito duró más de lo que tenía previsto. ¿Te ha servido de algo, Lele? —Al menos su intención es buena. Y yo no quiero que me expulse.

—Sí, señora Lombardo, me fue de gran ayuda. Me hizo sentir menos sola.

—Fantástico. Ahora vamos a dejarlo en una advertencia. No quiero volver a verte por aquí por comportarte como no debes, ¿de acuerdo? Sé que eres una chica lista y que puedes hacer las cosas bien. Intenta aplicarte un poco de vez en cuando. —Escribe una nota en una hoja de color rojo y me la da—. Entrégale esto a la entrenadora cuando regreses a clase para que sepa dónde has estado.

—Okey. Muchas gracias, señora Lombardo.

Hago una reverencia un poco torpe como si fuera una especie de duquesa o primer ministro o... no sé, alguien importante, vaya.

¡Uf! Qué cerca estuvo eso. Si me llegan a expulsar o a arrestar seguro mis padres me desheredan. Y me corren de la casa. Y tendría que vivir en la calle como una vagabunda. O a lo mejor podría pedirles a mis seguidores de Vine que me enviaran un dólar cada uno y sería estúpidamente rica. Nota mental: ¡No es tan mala idea!

Pero la parte más dura del día no ha llegado todavía. Espero a Darcy en su casillero después de clase y está FURIOSA.

—Lele, ¿estás mal de la cabeza o qué te pasa? Te pudiste haber metido en un súper problema. Y ahora no puedo enseñarles a mis padres lo bien que me fue en el examen.

—Ya sé, sí, lo siento, se me fue, perdón. —Intento mostrar que me importa que sus padres no puedan ver ese examen en particular de entre los miles que hacemos—. Mira, ya me había imaginado que estarías enojada, y yo también lo estaría si fuera tú. Lo que hice fue muy egoísta. Ver tu diez sólo me recordó mi propia incompetencia... Pero tu éxito no tiene que ver conmigo, tiene que ver contigo, ahora me doy cuenta, y me alegro mucho por ti. Sé que tengo que esforzarme más, y a lo mejor llegará un día en que ambas saquemos diez. Pero, sinceramente, mientras digo esto me doy cuenta de que no me importa si saco buenas calificaciones o no. Los estudios no son mi pasión en esta vida, pero sí son la tuya, y está claro que se te dan muy bien...

—¡Y tú eres la mejor en lo que haces! Tienes más de cinco millones de seguidores en Vine, ¿tú sabes lo raro que es eso? Eres artista y te gusta actuar y se te da increíblemente bien. Estás llegando a mucha más gente que yo con mis buenas calificaciones.

Darcy tiene razón. Pero para contentarla le digo:

—No, no digas eso. No es verdad. Seguro acabas siendo científica y descubres una cura para el sida o algo por el estilo.

—Sí, seguro.

—¿Ves? Me encanta tu autoconfianza. La admiro.

—Yo creo que tú confías mucho más en ti de lo que crees.

—¡Por favor! ¿Vamos al cine?

—¡Sí! Tengo ganas de ver algo de miedo.

—¡Yo también! Me dijeron que con *Oculus* te cagas de miedo.

—¡Pues vamos!

En la oscuridad del cine, Darcy y yo estamos sentadas con los pies apoyados en los asientos de adelante. Son las 4 de la tarde y la sala está casi vacía. Darcy come palomitas y yo me compré Red Vines, M&Ms, gomitas Sour Patch Kids, un *pretzel* y una Coca-Cola grande. Es obvio que combato el miedo comiendo la máxima cantidad de azúcar posible. Una de las muchas diferencias entre Darcy y yo (que decidí celebrar y no usar como excusa para odiarme un poquito más) es la forma en la que nos enfrentamos a las cosas que nos aterran.

Darcy es intrépida, mientras que yo soy un ratón asustadizo. Me paso las dos horas gritando y tapándome los ojos y revolviéndome en el asiento, y Darcy se queda sentada tan tranquila sin moverse un centímetro. Incluso se ríe varias veces, algo que me parece bastante absurdo, porque esta película es escalofriante. Un espejo acosa a unos hermanos desde hace décadas y puede que sea el motivo por el que su padre mató a su madre y se suicidó, y siempre aparecen cosas en él y siempre distorsiona la realidad y nunca sé el tipo de cosas terroríficas que van a saltar hacia mí y me pregunto si alguna vez seré capaz de volver a sentirme segura. Pero Darcy ni se inmuta. Nota mental: Darcy sí es una chica dura de verdad.

El Vine de esta tarde se titula «Chicas blancas en el cine /
Darcy es una tipa dura de verdad»:

La chica blanca Lele ve a la muerte con su guadaña acercándose a su casa y se desmaya del susto. La chica negra
Darcy aparece en escena, ve a la muerte con su guadaña y
le da una paliza sin siquiera parpadear. Aterrorizada, la pobre muerte se va corriendo calle abajo y no vuelve jamás.

34

Cuando a dos chicos les gusta la misma chica vs. Cuando a dos chicas les gusta el mismo chico
(6 266 200 SEGUIDORES)

*A*quí estamos de nuevo, jugando tenis con Yvette. Siempre me gana porque por lo visto iba a campamentos de verano en los que practicaban un montón de deportes o algo de niños ricos por el estilo. Los campamentos nunca me han gustado. Ya les conté de la vez que engordé un montón de kilos en un campamento, y otro año fui a uno en Massachusetts y el primer día me rompí el brazo al trepar una cuerda y obligué a mis padres a venir a recogerme. Soy torpe y negada para los deportes desde que nací.

Pero bueno, el caso es que Yvette me acaba de dar una paliza en el partido de tenis y ahora nos dirigimos hacia las máquinas expendedoras por agua.

—¿Alguna novedad con Alexei? —me pregunta.

—Nada de nada. Bueno, lo pasamos bien en Coachella.

—Pero está soltero, ¿no?

—Sí, ¿por?

—Entonces, ¿por qué no ha pasado nada? Él está soltero, tú estás soltera, ¿no deberían estar saliendo ya? ¿O al menos ligando?

—No sé. No he querido precipitar los acontecimientos. Acaba de salir de una relación larga.

—Pero te sigue gustando, ¿no?

—Sí.

—¿Y tú le gustas?

—Eso me dijo. No lo sé. ¿Qué insinúas?

—No insinúo nada. Solo estoy intentando entender un poco mejor la situación. —Teclea A1 en la máquina para obtener su botella de agua, la recoge y se aleja caminando tranquilamente.

—¿«Intentando entender un poco mejor la situación»? ¡Qué mierda! —mascullo para mí, y luego le pico D7 para comprar una Coca-Cola, ¡necesito azúcar!

¿De qué se trata? ¿A Yvette le gustara Alexei? ¿Está intentando ligárselo? Juro por Dios que si lo intenta la hago pedazos. Ya sé que se supone que vi la luz y que debo celebrar a todas mis amigas en lugar de competir con ellas, pero si CUALQUIERA intenta arrebatarme a Alexei no me hago responsable de lo que pueda llegar a hacer. Sí, ya sé, Alexei no es mi novio, pero es el chico que yo quiero. Y espero que reaccione pronto, porque necesito un hombre, y mi corazón ya se decidió por él, uhuhuuuuu... ¿No se dieron cuenta de que es «You're the One that I Want de Grease»? Pues ahora imagínenme cantándola como Olivia Newton-John, como una chica ruda forrada en licra negra de pies a cabeza, y ya tienen la imagen completa.

Un momento, se me olvidaba que estamos en el siglo XXI y no necesito un hombre. Al menos eso es lo que me dice mi cerebro... Otras partes de mi cuerpo no están del todo de acuerdo.

He aquí otro ejemplo de que los chicos siempre lo tienen más fácil que las chicas. Cuando a dos amigos les gusta la misma tipa, lo comparten. Dicen: «Guau, ¿ya viste ese trasero, hombre? ¡Uf! Los dos estamos de acuerdo en que ese trasero nos gusta». ¡Son tan simples...! A veces incluso llegan a decirse cosas como «Te la mereces, hombre, esta vez me apartaré, tienes el camino libre», o «Ella es intocable, no me gustaría que dejáramos de ser amigos por una chica. Somos hermanos, ¿no?».

¿Verdad que se me da eso de hacerla de hombre? Yo creo que lo hago muy bien.

Pero cuando a dos amigas les gusta el mismo chico, sin embargo, sálvese quien pueda. Todos los votos de lealtad y de amistad para siempre se lanzan con furia por la borda y empieza una competencia despiadada. Bueno, sí, también hay un código de honor femenino, pero solo se aplica si una ya fue novia del chico en cuestión. Con carne fresca, todo se vale, porque esto es la guerra. Es difícil de creer, pero a veces somos capaces de poner punto y final a una amistad porque nos gusta el mismo chico. Y sí, normalmente retomamos la amistad un tiempo después cuando ya nos hayamos dado cuenta de que el susodicho no valía la pena, pero aun así...

La idea de alejarse de un tipo porque le gusta a nuestra amiga nos suena en chino: extraño y difícil de entender. Es una locura, porque lo normal sería que ellos fueran más competitivos que nosotras, por la testosterona y demás, pero no, somos las chicas las que luchamos a muerte en nombre del deseo.

Y ¿a qué viene todo esto? Quiero decir evolutivamente hablando. Porque si algo he aprendido en clase de biología es que somos como somos a causa de la evolución (algo muy diferente a lo que me enseñaban en mi antiguo y católico colegio). A lo mejor tiene que ver con que un hombre no necesita a una mujer en concreto para reproducirse, mientras que una mujer necesita al hombre adecuado para que le ayude a alimentar a sus descendientes y que le dé cobijo y les dé la paliza que merecen a los que intenten amenazar a su familia. Me suena todo a un sexismo tan antiguo como la humanidad misma.

¿Ven? Yo también sé algunas cosas.

Toma eso, Darcy, yo también puedo ser lista a veces.

☺

35

¿Coqueteo que salió bien o mal?
(6 388 991 SEGUIDORES)

*A*lexei viene a casa después de clase enfundado en su camiseta sin mangas de macho y con unos Converse *hipsters*. Estoy esperando el día que aparezca con unos lentes de pasta gruesa sin graduar y una bolsa tipo *satchel*. Vemos algunos *sketches* de Jon Stewart y lo único en lo que puedo pensar es en preguntarle si le gusta Yvette. «Oye, no es por nada, pero ¿a ti te gusta Yvette? Porque yo creo que tú a ella sí». Lo ensayo una y otra vez en mi cabeza, pero suena demasiado brusco y obvio. «Yvette me hizo unas preguntas súper raras hoy... ¿A ti qué te parece Yvette? ¿Es tu tipo? Mmm... ¿Con quién saldrías primero, con Yvette o conmigo?». Dios, ¿no hay forma de que salga ilesa de esta situación?

—Voy por un refresco —dice Alexei—, ¿tú quieres algo?

—¡Yvette te quiere! —salto de repente.

—¿Qué?

—O sea que le gustas. O sea creo que le gustas.

—¿Qué? —se ríe—. Y ¿a qué viene esto ahora?

—No paró de preguntarme cosas sobre ti hoy en clase de educación física. Parecía como si quisiera dar el paso.

—Lele, Yvette es súper coqueta. Le gustan todos. Y se besa con todos. Intentó besarme en una fiesta en septiembre y la tuve que apartar. No es mi tipo. O sea, es bonita, pero no siento nada por ella.

—Ah, okey. —¿QUE YVETTE INTENTÓ BESAR A ALEXEI? ¡¡LA VOY A MATAR!!

—¿En serio pensabas que saldría con Yvette Amparo?

—No lo sé. A lo mejor sí.

—¿Tan mala imagen tienes de mí? —Me da un puñetazo en el hombro, suave.

—Es que eres un asqueroso y un raro. —Le pego un poco más fuerte.

Aunque Yvette y yo ahora somos eneamigas, todavía no confío en ella. Esperen un momento, claro, no confío en ella porque somos eneamigas.

—¡Mira quién habla! —Me pega de nuevo, esta vez un poco más fuerte, pero amistosamente. ¿Quizá incluso coqueteando un poco?

Entonces, desde la izquierda, poseída por mi inconsciente, sin pensar, le devuelvo el golpe, pero esta vez demasiado fuerte, y en la cara.

Veo el dolor en sus ojos.

—Pero ¿qué te pasa? ¿Por qué hiciste eso?

—¡Quien bien te quiere te hará llorar! —Genial, otra de mis grandes frases. Dios, hoy estoy con todo—. Este... ¡lo siento! O sea, ¡no quería hacerte daño! —Ay, Dios, ay, Dios, ay, Dios, ¿le acabo de decir que lo quiero? Ahora se va a reír de mí, ¿no? O peor, se va a ir. Claro, se va a levantar y se va a ir. No, primero se va a reír y luego se va a ir.

Pero me equivoco. Ni se ríe ni se va. Se queda quieto un instante y luego se acerca unos centímetros. Pone sus manos en mis mejillas y me acerca la cara a la suya y juro que oigo música celestial. A todo volumen, con fuegos artificiales de fondo por toda la casa mientras junta sus labios con los míos.

Me está besando.

¡¡¡ESTO ES LO QUE HE QUERIDO TODA MI VIDA!!!

Este beso. Ay, Dios. Besa espectacularmente bien. Es como si pudiera sentir todo el mundo a través de mis labios. ¿Suena raro? Pues es así de maravilloso.

Y luego es incluso mejor.

—Entonces, ¿me quieres? —dice tan cerca de mi cara que puedo oler el Listerine en su aliento.

—Puede.

—Puede que yo a ti también.

Y este, señoras y caballeros, es el fin de nuestra historia, porque en ese preciso instante Lele muere de felicidad... Pero vivió una buena vida, sí, muy buena, la verdad.

36

Los novios siempre llaman en el peor momento / Cuando tu novio viene a tu casa (6 900 000 SEGUIDORES)

*P*or desgracia, no muero en lo que seguramente será la cúspide de felicidad de mi vida. Sigo viviendo la emoción de que me quieran hasta que Alexei tiene que irse a su casa a cenar y la emoción de ser amada es sustituida por un sentimiento de anhelo y ansiedad. ¿Quiere esto decir que ahora es mi novio? ¡Dijo que puede que me quiera! ¿Cuándo me va a llamar? ¿Cómo me debo comportar cuando lo vea mañana en clase? Este es el tipo de preguntas neuróticas que se me pasan por la cabeza de forma atropellada en estos momentos.

Pero ya llegó el día siguiente y acabaron las clases y me siento feliz y satisfecha después de habernos pasado el día enviándonos notitas en clase de inglés y paseando de la mano durante la comida y besándonos con lengua por los pasillos.

La vida sería perfecta si no fuera porque mamá me acaba de llamar para que vaya a la cocina y tiene una cara de enojada que asusta. Es la cara que pone cada vez que decide leerme la cartilla.

—Ajá —digo—, parece que algo no está bien.

—Ya te aseguro yo que no, Eleonora Pons. —Me duelen los oídos al escuchar el sonido severo de mi nombre completo—. Me acaba de llamar tu tutora para decirme que no solo faltaste a clases para ir a Coachella y reprobaste un montón de exámenes, sino que ¡le prendiste fuego a un examen de matemáticas! ¿Es cierto?

—¿Quién demonios es mi tutora? Nunca he conocido a tal persona.

—Pues bien, parece que tal persona existe, y su nombre es señora Morgan, y está muy preocupada por ti. ¿Sabes adónde te van a llevar todas esas calificaciones bajas y otras reprobadas? A una escuela técnica, o a una universidad de baja categoría... ¿es eso lo que quieres? Pensé que preferirías ir a una universidad decente para estudiar con gente que te incite y te motive a aprender. ¿Crees que podrás acceder si repruebas un año en la escuela? —Está roja como un tomate y sus voz suena unos cuantos tonos por encima de lo estrictamente necesario.

—No sé, mamá. Creo que eso ha sido siempre lo que tú has querido para mí. Nunca se me ha dado la escuela, y antes me sentía mal por ello, pero estoy intentando reconciliarme con quien soy. No soy una lumbrera en el mundo académico, soy lista y soy creativa, y graciosa; todo el mundo cree que soy chistosa. ¿Sabías que ya tengo casi siete millones de seguidores en Vine? Tengo un montón de fans y solo dieciséis años. Para serte totalmente sincera, no creo que necesite ir a la universidad, al menos no por el momento. Quiero tomarme algún tiempo para centrarme en... mí. La universidad no me va a hacer feliz. Ya sabes cómo soy, mamá, escúchame, la universidad me oprimirá e impedirá que desarrolle mi carrera. Como actriz. Incluso como cantante.

—¿Tu carrera? ¡No puedes crear una carrera a partir de minivideos en internet! En este mundo necesitas una educación. Por Dios, Lele, la fama se te está subiendo a la cabeza. No puedes vivir gracias a una popularidad temporal, es imposible.

Justo en este momento empieza a sonar mi celular y veo que es Alexei. ¿En serio? Tengo tantas ganas de contestarle... No puedo ni explicar con palabras lo mucho que deseo contestar su llamada y poner fin a este inesperado bombardeo de emoción e histeria que es, francamente, perjudicial para mi ya delicada psique, pero sé que no puedo. Me muerdo el labio y asiento con la cabeza a toda la artillería que me lanza mi madre.

Y no ha acabado todavía. Ni cerca.

—Creerás que eres especial solo porque le caes bien a la gente en internet por ahora. Pero ¿qué pasará mañana? ¿Y dentro de unos años, cuando todo esto termine y no tengas nada con lo que sustentarte porque no recibiste una educación? Entonces ¿qué?

Llamando: Alexei ❤. Llamando: Alexei ❤

—¿Crees que podrás arrastrarte de vuelta a casa de tu padre y de tu madre? Pues desde ahora te digo que eso no va a pasar. Te sugiero que te eches un buen vistazo en el espejo y empieces a darle la vuelta a la situación, porque si no sacas las calificaciones necesarias para solicitar admisión en las mejores universidades en noviembre, no eres bienvenida en esta casa, ¿lo entiendes?

—Sí —digo con prisa—, ya entendí. Te escuché perfectamente.

Se va a buzón de voz. ¡Carajo!

—¿Y ya? Pensé que tendrías mucho que decir al respecto. —Mamá frunce el ceño.

—Hoy no, mamá. Tú eres mi madre y respeto tus deseos. ¡Hablamos luego! —Me regreso a mi habitación y le llamo yo.

—Hola, le estás llamando a Alexei, también conocido como Axxy. Es broma, no me llames así. Pero puedes dejar un mensaje y seguramente te devolveré la llamada. —Piiiiiiiii.

¡Noooooooooooo! ¡Es demasiado tarde! ¡Lo perdí para siempre!

Mi teléfono emite un ruidito.

¡Ah! Un mensaje de Alexei:

Hola, estoy cuidando de Aya, no puedo hablar. Te llamaba por si querías salir mañana. O sea, sería una cita.

¿Quééé? ¿Es en serio? Pues claro que quiero que tengamos una cita, ¡es lo que siempre he querido! Le respondo:

¡Sí! 😉

Al instante me arrepiento de haber puesto la carita guiñando el ojo, pero es demasiado tarde.

Y a mi madre ya se le pasará. ¿Qué sabe ella? Es una injusticia: un minuto es mi fan número uno y jura que me defenderá pase lo que pase y al siguiente se convierte en madre sobreprotectora al extremo para compensar todos esos años en los que fue tan relajada conmigo. Tengo una situación Dr. Jekyll y Mr. Hyde entre manos y resulta muy confusa. Solo debo recordar que nunca podré hacer feliz a todo el mundo: al final tengo que tomar decisiones basadas en mis propias necesidades. Y sé que necesito actuar.

Esto es lo que me sorprendo a mí misma pensando mientras rebusco en mi armario el *look* perfecto para una primera cita, tropezando con todos los pares de zapatos nuevos que me compré. Claro que puedo empezar una carrera en este momento de mi vida si quiero, soy una muchacha joven muy capacitada. Si voy a la universidad ¡estaré perdiendo un montón de mi valioso tiempo! ¿No? ¿Opto por un vestidito negro o es muy de funeral? ¿Vestido de coctel azul eléctrico o es demasiado atrevido? ¿Falda rosa de campana y top sin una manga o es demasiado infantil? ¿Que no tengo nada apropiado para una primera cita? ¿Adónde me va a llevar? ¿Y si no es un lugar tan elegante y me paso de arreglada? ¿Y si me decido por algo informal y luego vamos a un lugar elegante y me quedo corta? Así es como se van sucediendo las preguntas en mi mente y bien pronto consigo olvidar el sermón retrógrado de mamá.

Me decido por una falda de pana de American Apparel con un leotardo gris oscuro debajo, tacones bajitos y un saco blanco. ¿Me veo guapa? Sí, por supuesto.

Tocan el timbre. Dios, ¡llegó pronto! ¿Querrá entrar? ¡Santo cielo! ¡No lo había pensado! Tras un día de reorganización, este lugar no es el más apropiado para un novio: hay peluches y muñecas y vestidos de princesa y juegos tirados por todo el suelo. Medio histérica los apilo todos en un clóset tan rápido como me es humanamente posible (seguro parece que estoy súper drogada en crack) y luego me apresuro hacia la puerta principal. Por el camino me tropiezo con mamá y no puedo evitar meterla en un clóset a ella también.

Un rápido vistazo en el espejo —pelo: bien, ojos: bien, labios: bien, tetas: bien— y luego abro la puerta como la chica tranquila, calmada, serena, sencilla y preciosa que soy.

—Hola, Alexei —digo—, ¿quieres entrar?

—Gracias, pero tenemos que irnos. Hice reservación a las ocho.

—Genial —digo, y salgo.

Me parece oír a lo lejos a mi madre golpeando la puerta del clóset.

#DECEROAHÉROE

Mayo a junio

37

Cómo cambian los chicos delante de sus amigos / Cuando tu chico te avergüenza (7 750 502 SEGUIDORES)

*A*lexei está resultando ser bastante romántico. Y todo un caballero. Me abre la puerta para que pase, me aparta la silla para que me siente. Pensaba que la caballerosidad estaba muerta desde hacía décadas, pero supongo que me equivocaba.

Tras compartir un tiramisú el viernes en Cheesecake Factory (tiene diecisiete años, no es exactamente Bill Gates), rentamos un barquito de remos y navegamos por el puerto como dos enamorados.

El sábado hacemos un picnic en la playa. Me pone crema solar en la espalda y deja que le gane en voley playero e intenta enseñarme a surfear, pero no dejo de entrar en pánico cada vez que se acerca una ola y siempre me caigo de bruces, viendo pasar toda mi vida por delante de mis ojos como si fuera una película.

Por cierto, ya que estamos en esto, hablemos del océano un segundo. ¿Por qué sigue la gente metiéndose ahí? No lo puedo creer. Es impredecible y agresivo. La marea puede arrastrarte hasta el fondo cuando le da la gana y pueden formarse olas gigantes de la nada y hay tiburones y seguramente cuerpos medio descompuestos de los pasajeros del Titanic. Ya sé que se supone que el océano es una obra maestra preciosa y majestuosa creada por Dios, pero a mí me da mala espina.

—Se está poniendo el sol, voy a salir de aquí antes de que me coma alguna criatura nocturna —digo arrastrándome fuera del agua hasta la arena como una ballena moribunda.

—¿Una criatura nocturna?

—Sí, un monstruo marino. Si existen, seguro salen de noche.

—Mmm... Creo que no existen —dice Alexei.

—No voy a arriesgarme.

—Qué linda eres.

—Basta.

Se tira encima de mi y me inmoviliza sobre mi toalla. Intenta hacerme cosquillas, pero soy fuerte y empujo mi cuerpo contra él para derribarlo y ahora soy yo la que lo tengo inmovilizado. Lo agarré desprevenido, seguro, y está impresionado al ver que su novia puede ser luchadora profesional.

Empieza a besarme apasionadamente y luego nos quedamos tumbados el uno al lado del otro y se está poniendo el sol y todo el mundo se está yendo a su casa y somos los únicos en toda la playa. Empieza a quitarme el traje de baño y una parte de mí quiere dejarlo, pero hay algo que me incomoda un poco. ¿Lo conozco desde hace lo suficiente como para dejar que me vea desnuda? Si intimamos tanto al principio y luego terminamos me quedaré aun más destrozada.

Quiero estar desnuda con él aquí y ahora, pero no puedo ignorar mi instinto de autoprotección.

—Todavía no —digo deteniendo su mano—. Lo siento.

—No digas lo siento, amor. —Se apoya en un codo y me da un beso en la oreja—. Podemos esperar lo que tú quieras, no me importa.

—¿En serio?

—¡Claro! ¿Quién crees que soy? ¿Una especie de bestia?

—No sé... Dicen muchas cosas acerca de los adolescentes... ya sabes.

—¿Que siempre están calientes? ¿Desesperados por tener sexo? Sí, tenemos mala reputación.

—Entonces ¿no te importa esperar? ¿No te vas a frustrar?

Se ríe.

—Seguramente, pero puedo esperar.

—Espera un segundo, ¿me dices esto porque vas a acostarte con otras sin que yo me entere?

—¿Qué dices? ¡No! Claro que no. Tú eres mi chica.

Ay, Dios, ¡dijo que soy su chica! En otros tiempos ya me hubiera dado una pulsera con sus iniciales y seríamos novios formales.

—Okey, es lo que necesitaba oír. Y no es que, bueno, no es que no quiera. Solo quiero que sea como debe ser. Cuando me sienta preparada.

—Lo entiendo, de verdad. Yo tampoco quiero que corramos.

—Genial. Un momento, tú ya, o sea, tú lo has hecho ya, ¿no?

—No.

—¿Qué? —Me siento—. Pero si te ves tan... seguro. Además, saliste con Nina mucho tiempo.

—¿Me veo seguro? ¡Qué ridiculez! Digo, no es que sea inseguro, pero sí soy inexperto. Nina tenía un año menos que yo; tampoco estaba lista. Hacíamos otras cosas, no me malinterpretes, pero no quería presionarla para que hiciera algo con lo que no estaba cómoda.

—Guau, así que ambos somos...

—Sí, por ahora. —Levanta las cejas al mirarme como si fuese un depredador lascivo y nos echamos a reír. Luego le doy un golpecito en el hombro y le digo:

—¡La traes! —y me echo a correr por la arena.

Divertido: sí.

Chistoso: sí.

Me entiende: sí.

Besa bien: sí.

Está guapo: dos veces sí.

Caballeroso: sí.

Respetuoso conmigo y con las mujeres en general: sí.

Es un adulto maduro: ni cerca. Pero es decente. ¡Dios!

¿Qué pasó?, te preguntarás. Te lo contaré. Tras esa adorable y romántica jornada en la playa, fuimos a comer unas hamburguesas a Jack in the Box y luego paseamos por Arcadia Park con una canción ñoña de los años cincuenta resonando en mi cabeza (seguramente *Earth Angel*). Nos sentamos en una banca del parque con las piernas colgando por el respaldo, su brazo sobre mi hombro.

Justo entonces, aparecen Brian y Jake fumando un porro, todo machotes, cero *hipsters*.

—Hola, chicos —les digo antes de que Alexei los vea. Cuando levanta la vista y ve a sus amigos machotes acercarse le entra el pánico y empieza a tener tics como si estuviera poseído y quita su brazo de mi hombro bruscamente, por lo que me quedo sin apoyo y me caigo de la banca dando un mortal hacia atrás. Pero no una pirueta *cool*, me refiero a una caída sin gracia y vergonzosa.

—Hola, chicos, ¿qué hay? —Alexei se levanta para chocarles los cinco como un tipo duro, el malote del colegio, y no necesita a una chica que lo lastre. ¡Puaj! ¡Es Danny Zuko! ¡Ja!, ya quisiera...

—Este... —dice Brian—, ¿no es Lele? ¿Se acaba de caer?

Me levanto y me quito unas hojas del pelo.

—Sí, soy yo. Pero estoy bien. Gracias por preguntar. Creo que no me rompí nada. Aunque quizá deberían examinarme antes de dar una respuesta definitiva. —Miro a Alexei.

—Estábamos pensando en ir al cine, ¿se apuntan? —pregunta Brian.

—Suena genial —digo—, pero tengo que levantarme temprano mañana para un... para una cosa. Una cosa importante. Nos vemos. —Me cuelgo la bolsa al hombro y empiezo a alejarme.

—¡Lele, espera! —me llama Alexei—. ¡Te tengo que llevar a tu casa! ¿Adónde vas? —Me alcanza y me toma de la mano. Lo aparto.

—¿Te da vergüenza que te vean conmigo o algo así? —le espeto.

—¿Qué? No, claro que no.

—Casi me empujaste de la banca cuando se acercaron tus amigos.

—Me agarraron desprevenido. No quiere decir nada. ¡Te lo prometo!

Lo creo y lo perdono, pero no se lo quiero decir. Es mucho más divertido verlo sufrir todo el camino hasta mi casa.

Lo ignoro por completo todo el domingo, y él me deja cinco mensajes de voz, cada uno es una larga disculpa salpicada con algunos chistes bastante cursis e incluso una canción horrorosa. Se pasa.

El lunes aparece en clase de inglés con una docena de rosas y todos piensan que es súper romántico. Okey, yo también lo creo, pero tampoco me lo tomo como un gran acontecimiento, porque, seamos realistas, así es como espero que me trate siempre, la haya cagado o no.

—Por favor, perdóname —me suplica.

—Te perdono, sí. —La clase estalla en un sonoro *oooooooooh* y me acerco para que solo me oiga él—, pero si me lo vuelves a hacer no vivirás para contarlo.

Casi se atraganta el pobre.

La entrenadora Washington no vino hoy, así que tenemos una profesora sustituta que nos tira un montón de pelotas y nos deja a nuestro libre albedrío. Una hora para hacer lo que queramos; ¡no me voy a quejar!

—Vaya, escuché que Alexei y tú por fin están juntos —dice Yvette mientras caminamos despacio alrededor de la pista de atletismo.

—Sí, parece mentira que esté sucediendo, pero así es.

—¿Ya lo hicieron?

—Dios, ya madura, Yvette —respondo, y luego—: No, no lo hemos hecho.

—¿Por qué no? ¡Ya tienen que hacerlo!

—Ya basta, no tengo prisa. ¡Ah, mira! Ahí está.

Alexei corre hacia nosotras por el campo, esquivando a unas chicas que juegan futbol, acercándose a un juego gigante de Conecta 4 (es como el Conecta 4, pero de un metro de altura), y sigue corriendo y agarrando velocidad para poder saltar por arriba. Corre, salta y aterriza derribándolo como un toro salvaje. Todo el cobertizo se desmonta y las piezas del tamaño de *frisbees* salen volando. Me encojo y me tapo la cara.

—Vaya —se burla Yvette—, puede que hayas perdido tu oportunidad. Espero que no se le haya roto.

—Déjame en paz —le digo.

Pero en realidad estoy contenta: ahora tanto Alexei como yo nos hemos caído delante de los amigos del otro, así que estamos oficialmente empatados.

38

No crean lo que dicen las revistas... a veces / Cuando tienes la peor suerte del mundo
(7 980 000 SEGUIDORES)

—¿*P*or qué ibas corriendo por el campo?

Después de clase, me estoy cepillando el pelo frente al espejo. Alexei está sentado en mi cama con una bolsa de hielo en la entrepierna.

—¿Eh?

—Cuando tú y ese Conecta 4 gigante intimaron parecía que venías corriendo hacia mí, como si hubieras querido decirme algo.

—¡Ah, sí! ¡Se me había olvidado por completo! Eres la primera usuaria de Vine que alcanza los mil millones de *views*.

Se me cae el cepillo de la mano.

—Perdón, ¿qué?

—Sí, mira.

Busca mi cuenta de Vine en su teléfono para mostrármelo. Es verdad: alcancé los mil millones. Y soy la primera persona que lo logra en Vine. Miro los números fijamente intentando asimilarlo, intentando que tengan sentido. Pero no. Esto tiene que ser un sueño.

—Alexei, ¿estoy despierta? He tenido sueños así muchas veces.

—No estás soñando, es la vida real.

—Pero la gente dice eso en los sueños todo el tiempo, no significa nada.

—Lele, no seas ridícula, mira. —Me pellizca el brazo, fuerte.

—¡Au! ¿Hacía falta llegar a eso?

—Sí, claro que sí. Estás alucinando. Abre los ojos y reconoce que estás triunfando en Vine. Rompiste un récord, Lele, eres la mejor.

Me detengo un momento y me quedo mirando al vacío. Por fin siento que la información procesada se filtra por mis músculos y por mi torrente sanguíneo y llega hasta mi cerebro.

—¡Guuuuuaaaaaaaaaaaaauuuuuuuuuu! —grito a todo pulmón saltando a la cama como si tuviera de nuevo cinco años y la capacidad de ilusionarme con Santa Claus y el conejo de pascua y los helados. Me pongo a gritar y a bailar moviendo los brazos y no me importa quién me vea, ni siquiera Alexei, quien, de hecho, me está viendo.

—¡Baila conmigo! —lo tomo por los brazos—. ¡Esto se merece una celebración! ¡Abran la champaña! ¡Tomen el teléfono! ¡Avísenle a la prensa!

Con mi ayuda, se sostiene de tal manera que está de pie junto a mí y por un feliz momento soy la reina del baile tomando de la mano a su príncipe.

—¡Aaauuu! —se queja llevándose la mano a la entrepierna—. ¡Qué dolor! —Y vuelve a caer sobre la cama. Fue bonito mientras duró.

Mientras Alexei se ocupa de sus lastimados testículos (perdón por ser tan literal, pero no es mi culpa que sea idiota), Yvette, Darcy y yo nos dirigimos a nuestro segundo *show* de Steve Tao. Yvette se enteró de que venía a tocar al centro y preguntó como quien no quiere la cosa si podría conseguir que nos invitaran a la zona VIP de nuevo. Le dije:

—Déjame ver. Tu petición ha sido valorada y la respuesta es ¡pues claro que sí!, porque ahora soy megafamosa y puedo conseguir todo lo que me dé la gana.

Yvette se me queda viendo con cara de total repulsión.

Pero ahora estamos en el *backstage* de nuevo y ella cambió su expresión por una de eterna gratitud. Estamos sentadas en un sofá de piel blanca tomando *gin-tonics* (el mío es solo tónica) mientras los trabajadores montan el escenario y un montón de gente se pasea de un lado a otro tratando de verse importantes.

—Felicidades por los mil millones de visualizaciones, por cierto —me dice, intentando hacerlo sonar como algo súper normal. Pero no lo logra; no hay forma de que eso suene como algo normal: llegué adonde ninguna otra chica había llegado antes. Estoy esperando una llamada del presidente Obama en cualquier minuto. ¡Es tan guapo!

—Ah, gracias, no es para tanto. —Me encojo de hombros y tomo un ejemplar de *Teen Vogue* que hay en la mesa.

—Qué rara eres —me dice Yvette—; pasas de arrogante a modesta cada cinco minutos.

—Oye, mira —respondo poniendo acento esnob y teatral—, es muy difícil esto de ser famosa, ¿de acuerdo? Estoy intentando encontrar el equilibrio ideal.

Pone los ojos en blanco y las dos nos echamos a reír.

Hojeando las páginas de papel brillante de *Teen Vogue* nos bombardea un sinfín de caras retocadas con Photoshop. Labios ensanchados y pómulos afilados y pestañas alargadas a más no poder. Es casi como ver caricaturas. Unos dibujos en los que todo el mundo es más atractivo que tú. Un modelo con los abdominales tan marcados que se hacen sombra ellos mismos tiene unos ojos azules que son demasiado bonitos para ser reales.

—Todo el mundo en estas revistas es falso —digo pensando en los retoques que me van a tener que hacerme a mí si alguna vez salgo en alguna.

—Sí. —Yvette está de acuerdo, y luego da un respingo y me agarra el brazo—. Lele, mira. —Señala delante de nosotras.

—¿Qué se supone que estoy mirando? —Levanto la vista de la página y contemplo la multitud.

—Allí, al lado de la chica del vestido amarillo. ¡Es él!

No lo puede creer; y yo tampoco. Aun así, es cierto: es el modelo de la revista al que estábamos cosificando hace justo un momento. Y allí está, de carne y hueso ante nosotras. No, amigos lectores, no les estoy contando una fantasía mágica y mística en la que las imágenes cobran vida, lo que digo es que el chico que modeló para Tommy Hilfiger en *Teen Vogue* esta aquí, hoy, en el *backstage* del *show* de Steve Tao.

Y ¿saben qué? Es tan apuesto en la vida real como en la foto. ¡Maldición!

—¡Uf! Supongo que justo él no necesita retoques —dice Yvette.

—Mmm, no lo creo...

Tomo la revista y me la acerco a la cara en un intento por esconder lo increíblemente guapo que creo que está ese hombre. ¿Y si Yvette me ve sonrojarme y se lo cuenta a Alexei como parte de una estrategia para arrebatármelo? ¿Todavía lo desea en secreto? Nunca indagué a fondo en el asunto.

—Ven, vamos a hablar con él.

—No, estoy bien aquí. Pero ve tú. Deberías hablar con él.

—Bien, allá voy —añade—. Te veo luego

Y se lanza al ruedo. ¡Guau! Mírenla, ¡esta chica definitivamente sabe ligar! A lo mejor no le gusta Alexei. O a lo mejor eso es lo que quiere que crea.

No acabo de entender cómo funciona esto de ser DJ. Es como un concierto, pero él no toca ninguna canción, solo mezcla las de otros. Lo que intento decir es que no hay oportunidad para tener esa sensación de «¡Esta canción me suena!», o tal vez sí, pero no tiene nada que ver con el artista que estás viendo. Básicamente, el propósito de un DJ es picar botones delante de gente que quiere perder la cabeza un rato en la pista.

Así que me pongo en primera fila, encantada de haberme conocido, y salto con la multitud al ritmo de la música y cantando cuando una canción que adoro se entremezcla con otro que también adoro en perfecta armonía. Y debo admitir que la estoy pasando muy bien.

En un momento, Steve saca un pastel de cumpleaños y empieza a hacer equilibrios con él sobre su cabeza. La multitud se vuelve loca. No entiendo de qué va, pero ¿qué importa? Es todo muy *rock'n'roll*, ¿no? Ah, bueno, no, no es *rock'n'roll*, es... ¿cultura de noche?

—¿Quién quiere pastel? —grita, y consigue que la multitud le grite aún más.

Y luego, sin previo aviso, les tira el pastel, sabrá Dios por qué —igual que todas las cosas estrambóticas que hace—, y, claro, la veo dirigirse derechita hacia mí. Ay, no, ay, no, ay, no. Mi mente se acelera, pero tengo el cuerpo paralizado y no puedo ni pensar en apartarme. Además, se me antoja un poco de pastel, de hecho.

¡ZAZ! Me da en toda la cara. Mmm, es de vainilla, qué rica. Pese a tener las orejas llenas de pastel puedo oír las risas y los aplausos a mi alrededor. Debería sentirme avergonzada, pero de repente tengo tanta hambre que me importa todo un bledo. Además, esto podría convertirse en un Vine genial. Menos mal que Darcy está aquí con la cámara. Solo falta que a Steve no le importe salir como él mismo y que consigamos grabarlo todo en una toma. Bueno, en realidad, esto último no importa: repetiremos la toma tantas veces como haga falta, incluso si eso significa que me tengan que tirar diecisiete pasteles a la cabeza. #todoporelvine!

Me quito el pastel de los ojos y veo a Yvette besándose con el modelo. La suerte es algo muy raro, ¿verdad? Alguna gente la tiene, a otra le dan con pasteles en la cara delante de cientos de personas.

39

La escuela es *cool* / Cuando escuchas una canción de hace tiempo y todo el mundo se acuerda del baile / Cuando se te olvida que no es viernes (8 189 000 SEGUIDORES)

Okey, no seré la estudiante más brillante del mundo, pero se me da muy bien la parte de la vida escolar que transcurre entre clase y clase. Chocar esos cinco por los pasillos, las travesuras a la hora de comer: en esto soy una líder natural. Solo tuve que limitarme a ser yo misma, loca como estoy, para acabar obteniendo el respeto universal de mis semejantes. Se dirigen a mí para que les dé diversión; se dirigen a mí para que les dé mi aprobación. No es que lo estuviera buscando, pero poco a poco me he ido convirtiendo en la reina del Miami High.

Pero no soy la típica reina del colegio. Sí, soy alta y soy guapa como las típicas reinas, pero no abuso de mi poder ni reino gracias a la intimidación y a la exclusión y a normas propias de un dictador. Solo quiero que todo el mundo la pase bien y se sientan a gusto con quienes son, no quiero que nadie tenga que pasar por lo que yo pasé cuando llegué.

Si tuviera que escribir un comunicado real oficial diría algo así como: «No teman aceptar quienes son en realidad, porque en el Miami High damos la bienvenida a los *nerds*, a los raros, a los *freaks*, a los marginados y demás excéntricos en general». Imaginen trompetas resonando mientras estas palabras se leen de un pergamino desenrollado para todo el reino.

Es viernes y en la última clase, español, estamos todos muy inquietos. Los últimos minutos son siempre los más difíciles de soportar, sobre todo los viernes. Mientras el marcador verde de la señora Castillo chirría sobre el pizarrón blanco, todos tenemos la mirada fija en el reloj intentando hacer que se mueva más deprisa. Dios, qué lento avanza. Tic... Tic... Tic... Me da tiempo de formar una familia y hacerme vieja entre segundo y segundo. Es casi una tortura.

Pero por fin llega el momento glorioso. El timbre de las tres suena y todos saltamos de nuestros asientos, tiramos los lápices y papeles al aire y gritamos como si hubiéramos ganado la Copa del Mundo.

—¡Sienten esos traseros en la silla! —salta la señora Castillo—. Quiero decir, siéntense.

—Pero ¡si es viernes! —protesto.

—¡Estás loca! —dice la señora Castillo. Bueno, no lo dice así, pero la mirada que me lanza significa eso—. No es viernes —añade, molesta—, es jueves.

¿Es jueves y no viernes? ¿Cómo puede ser?

Plan = arruinado. Desfile = arruinado por la lluvia.

Cuando la señora Mandona nos deja libres al fin y salimos de prisión, me encuentro con Darcy junto a los casilleros. No será viernes, pero al menos ya podemos irnos a casa, algo es algo.

—¿Quieres que compremos un paquete de Kisses tamaño familiar y veamos *Beverly Hills 90210*? La versión antigua, por supuesto —le pregunto.

—Tengo que estudiar para el examen de cálculo de mañana —responde, porque parece que hoy es el día de vamos a arruinar todos los planes de Lele—, y tú también deberías.

Justo cuando estoy a punto de estrangularla, se escucha el primer *Yooooooouuu* de Soulja Boy. Todo el mundo se queda petrificado. La música sale de un radio situado en el interior de alguna clase. Ya pasaron unos cuantos años, pero el baile de Soulja Boy de 2007 es como ir en bicicleta: nadie lo olvida nunca.

—¡Vamos, gente! —grito, y nos ponemos en fila.

Este es nuestro baile y lo conocemos al pie de la letra. Cuando salió esta canción teníamos solo once años; mientras los adultos estaban votando por Obama, nosotros no teníamos nada que hacer aparte de practicar estos pasos una y otra vez.

—*Soulja Boy off in this hoe...*

Entonces no entendíamos lo que decía la canción, como pasa siempre que eres muy joven, pero la coreografía nos sale impecable.

A unos cuantos chicos blancos, latinos y Darcy.

40

Cómo los demás ven a tus hermanos pequeños vs. cómo los ves tú / Todos hemos tenido días de flojera máxima / Cómo eres fuera de casa vs. en casa (8 400 999 SEGUIDORES)

*M*i vida es increíble, ¿verdad? Tengo amigos y diversión y un novio, incluso algo de fama, ¡que es más de lo que pueden decir muchos! Entonces ¿por qué me siento tan... abrumada? Mi madre me mete presión para que saque mejores calificaciones y yo me meto presión para ser la novia ideal y mis seguidores me meten presión para que siga haciendo Vines como si fuera una máquina, pero ¡NO SOY UNA MÁQUINA! ¡Solo soy una chica! ¿Alguna vez voy a volver a ser capaz de relajarme?

Es obvio que a Alexei le gusto mucho, pero todavía tengo la sensación de que no puedo ser yo misma cuando estoy con él. Es muy raro, porque siempre soy yo misma, pero en cuanto aparece siento esta necesidad imperiosa de ser toda una señorita. Como una muñeca. ¿Es eso lo que quieren los hombres? ¿Una muñeca? No lo sé, la verdad es que no tengo ni la más remota idea.

El sábado en la noche Alexei me recoge y me lleva a ver *Godzilla 3D*. No es la más romántica de la historia, pero nos pasamos media película besándonos de todos modos. El vestido que llevo es demasiado apretado en la cintura: hace que me vea más delgada, pero también hace que no pueda casi respirar. Siento que tengo que meter las costillas para que mi pecho tenga espacio para expandirse en el vestido y así recibir suficiente oxígeno. Pero sigo teniendo que jadear porque me falta el aire. Intento que los jadeos suenen sugerentes y no asusten a Alexei. ¡Lo que hay que hacer para verse sexy!

—¿Estás bien? —me pregunta en la oscuridad.

—Sí, sí, perfectamente. —Cruzo las piernas y entrelazo las manos sobre la rodilla como si fuera Jackie Kennedy en una gala benéfica o algo así.

Cuando me deja en mi casa le doy un beso de despedida apresurado y corro hacia la entrada. En cuanto cierro la puerta me arranco, de forma literal, el vestido del cuerpo. Y justo entonces entra mi madre.

—Ay, Lele, ¿ahora qué estás haciendo?

—Tuve una cita y traía este vestido que me queda demasiado apretado y no podía respirar pero ¡aleluya!, ¡por fin soy libre!, ¡soy libre! —Corro arriba y abajo en ropa interior con los puños en alto, victoriosa, gritando—: ¡Libertad! ¡Libertad!

Mamá niega con la cabeza y se aleja.

Debo de haber olvidado cerrar la puerta principal, porque se abre de golpe. Es Alexei. ¡Maldición!

—Olvidaste esto en el coche —me dice dándome mi monedero con cara medio pasmada.

—Ah, este... Estaba...

—No tienes que explicarte, Lele; a estas alturas ya me di cuenta de que estás loca como una cabra. Es parte de lo que me gusta de ti. Y de todos modos algún día te iba a acabar viendo en ropa interior.

Con un guiño y una sonrisa, desaparece. No sé si es porque fue la primera vez que mi novio me ve en ropa interior o por el guiño sexy que me dedicó o porque no he respirado bien en toda la tarde, pero me da un mareo intenso y caigo al piso.

Todo se vuelve negro.

—Te llamé un montón de veces anoche, ¿estás bien? —me pregunta Alexei el domingo en la mañana en tono de novio preocupado.

—Sí... Bueno, medio me desmayé.

—¿Qué quiere decir que medio te desmayaste?

—Bueno, me desmayé. Creo que olvidé comer o algo.

—Pero ¿estás bien? ¿Por qué no me llamaste?

—Cuando volví en mí me fui a la cama y me dormí, y desperté hasta ahora. Pero fue bastante *cool*, ¡nunca me había desmayado!

—Ay, Lele, de verdad.

—Ay, Alexei, de verdad.

—¿Quieres venir a mi casa? Tengo que cuidar a Aya todo el día.

—Sí, supongo que podría ir.

Leí no sé dónde que no tienes que mostrarte tan emocionada cuando tu chico te propone salir, no quieres que se sienta demasiado confiado en la relación, ya sabes.

Cuando llego, Alexei y Aya están en el sillón viendo *Hora de aventuras*. Ella está acurrucada con una cobija de conejitos de color rosa y con una Barbie en el regazo. Es un angelito.

—Hola, Lele, ven a ver la tele con nosotros —me saluda Alexei—. Te encantará este programa, es una locura.

Por lo que entiendo entrando a medio episodio, el programa se trata de un niño que se llama Finn y de su perro Jake, que viven en una especie de universo paralelo en el que hay un rey malvado que dispara hielo con sus manos y rapta princesas en su tiempo libre para obligarlas a casarse con él. Se ve todo un poco oscuro para ser una caricatura, pero me gusta el estilo tan estrafalario que tienen las caricaturas últimamente.

—Voy por algo de tomar. Lele, ¿quieres una Coca-Cola?

—Yo quiero una Coca-Cola —dice Aya pestañeando.

—Tú puedes tomarte un Sprite, Ayita.

—¡Okey, Alexeito! —¡Oooh!, ¿Alexeito?, ¡muero de amor!

—Yo también prefiero un Sprite, ¿te ayudo?

—No, no, tú relájate, disfruta el programa. ¡Regreso rápido!

Me quedo sola con Aya y vemos que la mascota del Rey Hielo, el pingüino Gunther, está utilizando unas estalagmitas como xilófono.

—¿Este es tu programa favorito? —le pregunto.

Se voltea hacia mí y con mucha calma empieza a hablar. Algo en sus ojos me dice que no es la niñita dulce que parecía hace un minuto.

—Tengo que comentarte algo —dice—; me caes bien, pero si haces que mi hermano mayor se ponga triste... —Toma la cabeza de Barbie y con mucha destreza la arranca del cuerpo.

Trago saliva para dar un efecto más dramático a la escena.

—¿Intentas decirme que si le hago daño a Alexei me cortarás la cabeza?

—Sip. —Baja la voz hasta que habla en el susurro más escalofriante que escuchado en mi vida y se le encienden los ojos como demonio—. Y no vas a poder esconderte de mí. Te encontraré. —¡Dios! ¿De dónde salió esto?

Alexei vuelve a la sala con los Sprites y se sienta entre ambas.

—Creo que tu hermana me acaba de amenazar —digo sin dejar de mirarla.

—¿Ah, sí? ¿Y qué te dijo este monstruito?

Detrás de la espalda de su hermano, para que solo yo pueda verlo, se pasa un dedo por el cuello como cortándolo. ¿Qué clase de películas de terror ha visto esta niña de cuatro años?

—Ah, no, nada, solo estábamos bromeando —me retracto, y ella asiente con la cabeza y empieza a tomarse su Sprite, tan tranquila.

—¡Claro! Cosas de chicas. ¿Verdad que tengo la hermanita más linda del mundo?

—¡Sí! ¡Lindísima!

Salgo corriendo de ahí lo más rápido que puedo. Le digo a Alexei que estoy súper cansada y que me voy a echar una siesta, lo que no es del todo mentira. Siento cómo una flojera máxima se apodera de mis huesos y de mis músculos y quiero desconectarme.

En casa, en cuanto llego a mi habitación me derrumbo. Me quedo tirada en el suelo, desparramada como una estrella de mar. Entonces me doy cuenta de que mi teléfono dio un salto unos metros más allá. Intento alcanzarlo, pero mi brazo no es lo suficientemente largo y no soy capaz de estirarlo más.

—No pasa nada —le digo a mi celular—. Sigue sin mí. Sálvate tú. Te veré del otro lado.

Este estado de extenuación absoluta me da una gran idea para un Vine, pero me siento demasiado débil como para ir por papel y pluma. Nota mental: un Vine en el que la chica está demasiado cansada para hacer algo. Vemos un montaje de ella intentando alcanzar su teléfono, comiendo sentada delante del refrigerador, quedándose dormida mientras pasea el perro, flotando boca abajo en la alberca, durmiéndose sobre un extraño que se ve forzado a arrastrarla por toda la ciudad. Al final, encuentra algo de paz en una tienda de colchones, pero la despierta de golpe un trabajador malhumorado.

Solo espero acordarme de todo esto cuando me despierte. Zzzzzzzz.

41

Lo que quieres hacer cuando ves a tu chico con otra / Cómo escapar con un Hewlett-Packard x360 (8 511 356 SEGUIDORES)

*P*ara distraernos en un sábado especialmente flojo, Darcy y yo nos compramos unas bolsas de dulces en el Sweet Factory del centro comercial y nos los comemos en los cochecitos de feria. Ya saben, esos en los que metes una moneda y van a dos por hora.

Nos gusta vivir peligrosamente, sin duda.

Estoy arrancando la cabeza de un gusano de gomita cuando algo entra en mi campo de visión.

Me hierve la sangre, se me para el corazón: es Alexei... con otra chica.

—¿Lele? Parece que acabas de ver un fantasma —dice Darcy balanceándose sobre su caballo amarillo de rodeo.

—Yo... Este... —tartamudeo. La sangre de la cabeza se me evapora, así que me es imposible formular frases.

De repente noto que mi cuerpo reacciona y se pone en modo atacar o escapar.

—¡Regreso en un segundo! —digo sin más explicación, y luego salgo disparada tras Alexei y la chica.

En cuanto ponga las manos sobre su escuálido cuello lo voy a estrangular, pero antes haré que se desnude y escriba «Lo siento, Lele» mil veces en un pizarrón. Frente a toda la escuela. Me arden las mejillas y siento que voy a vomitar al notar el ardor de la traición en la boca del estómago. Me pondría a llorar en este mismo instante, pero estoy demasiado impresionada. Me mezclo con la multitud, paso en frente del Claire's y del Panda Express, y doblo la esquina de Wetzel's Pretzels hasta que estoy lo suficientemente cerca para darme cuenta de que... no es Alexei. Es solo un doble: con el mismo peinado y el mismo estilo, pero ni la mitad de *sex appeal*.

—¡Ufff! ¡Gracias a Dios! —digo un poco demasiado fuerte.

—¿Disculpa? —La pareja se voltea al pensar que me dirijo a ellos.

—No, nada, disculpen, me confundí, creí que eran unos amigos.

—Oye, ¿tú no eres esa chica que sale en Vine? —dice la novia. Es súper guapa, si hubiera sido Alexei la habría tenido que matar a ella también.

—¿Yo? Ah, sí, soy yo. Pero no me hagan caso, hagan de cuenta que no estuve aquí. Que tengan un buen día, estimados ciudadanos. —Les hago una pequena reverencia y luego me volteo y me alejo corriendo. ¿Por qué me tengo que portar como una psicópata en este tipo de interacciones sociales?

—¿Qué fue todo eso? —pregunta Darcy, quien para cuando vuelvo ya se cambió del caballo de rodeo a un trenecito. ¿Qué estamos haciendo con nuestra vida?

—Pensé haber visto a Alexei con otra chica —digo casi sin aliento— y me puse a perseguirlos.

—¡Ay, Dios, no! ¿En serio? Y ¿qué les dijiste?

—Resulta que no era él, pero al final tuve una conversación muy interesante con dos perfectos desconocidos.

—Claro, Alexei nunca te engañaría.

—Gracias. Creo que tienes razón, es buen chico y me quiere.

—Y en cualquier caso, no sería tan tonto como para encima venirse al centro comercial con la otra. —Miro a mi amiga y le tiro un M&M de cacahuate a la cabeza, pero lo esquiva y se estrella contra el suelo.

—Perdí los estribos por unos segundos... Darcy. Si alguna vez lo agarro con otra chica, te juro que haré un muñeco vudú con su aspecto y le clavaré un millón de agujas. Haré que se vuelva loco y empiece a actuar sin control, y tras días de intensa tortura, tiraré el muñeco por un puente.

—Y ¿por qué habrías de tirarlo por un puente? ¿No se acabaría el juego entonces?

—No, si lo tiro por un puente, entonces Alexei haría lo mismo, así es como funciona.

—¿Ah, sí? Y ¿desde cuándo sabes tanto tú de muñecos vudú?

—No tengo ni idea, en realidad, solo lo estaba imaginando.

—Mira, yo no creo que te vaya a engañar, pero quizá tendrías que analizar por qué te enojarías tanto si lo hiciera.

—¿A que te refieres?

—Me suena a que te sientes insegura en tu relación. A lo mejor deberías hablar con él del tema, es lo que hacen las parejas, ¿no?

Ay, Darcy la listilla ataca de nuevo.

Un poco más tarde, el mismo día, estoy en la habitación de Alexei dándole vueltas de forma obsesiva a lo que me dijo Darcy. Tengo la cabeza en el regazo de Alexei, y él me acaricia el pelo, algo que suena muy bien, pero no paran de enredársele los dedos y me jala de la cabellera. Auch. La energía en la habitación es muy rara, es como si estuviéramos desincronizados.

—Hoy me pasó algo curioso en el centro comercial —le digo tras mucho deliberar si mencionarlo o no.

—¿Ah, sí?

—Estaba allí con Darcy y por un momento juré que te había visto pasar con otra chica.

—¿Qué? Eso es ridículo, si estuve con Aya toda la mañana. Un momento, ¿estás diciendo que crees que yo te engañaría?

—¡No, no! Solo fue una coincidencia, los seguí y vi que no eras tú.

—¿Los seguiste? Entonces sí creíste que era yo y que te estaba poniendo el cuerno.

—No, no es eso. Dice Darcy que lo que me pasa es que sigo sintiéndome insegura de nuestra relación. Como es todo tan nuevo... ¿Crees que sea normal? No creo que seas capaz de engañarme, pero uno nunca lo puede saber a ciencia cierta, ¿verdad?

—No, supongo que no. —Noto cómo Alexei baja la guardia un poco—. Los inicios de las relaciones suelen ser algo inseguros, hace falta tiempo para aprender a confiar el uno en el otro.

—Así es.

—Pero tienes que saber que yo nunca saldría por ahí con otra chica sin decírtelo primero.

—¿Qué? ¿Te gustaría salir por ahí con otra chica?

—Bueno, tengo amigas, ¿sabes?

—¿Ah, sí? Mencióname una.

—Darcy e Yvette también son amigas mías, ¿no?

—Ninguna de las dos saldría contigo sin mí.

—¿Estás implicando que es aburrido salir conmigo sin ti?

—No, lo que digo es que mis amigas son leales y no querrían pasar tiempo con mi novio sin que estuviera yo porque saben que sería un poco sospechoso.

—Y ¿por qué sería sospechoso si yo ya te habría avisado?

—No me importa si me avisas cien veces, la respuesta va a ser siempre no.

—Ah, okey, o sea, no puedo salir nunca con ninguna amiga.

—Correcto.

—¿Literal? ¿Aunque sean amigas tuyas o no?

—Exacto.

—Nunca me vas a dejar que salga con otras chicas, aunque sea en un contexto cero romántico y cero sexual? ¿De aquí en adelante solo puedo salir con hombres?

—Con hombres o conmigo. ¿Por qué necesitas otras amigas si ya me tienes a mí?

—Porque ahora es diferente, no es como cuando tú y yo éramos amigos. Ahora eres mi novia, y tengo la sensación de que no puedo hacerme el tonto contigo como antes.

—¿Por qué?

—No lo sé, ya no eres tan alocada como antes cuando estás conmigo. Intentas esconder esa parte de ti, lo noto.

Como el otro día en el cine cuando te estabas comportando tan bien... y luego llegaste a casa y te pusiste a hacer payasadas. Extraño a esa Lele.

—Ah, vaya —digo—, no me había dado cuenta. Gracias por decírmelo.

—Yo solo quiero que tú seas tú. Y no tienes por qué preocuparte por las demás chicas, ¡no me interesan en lo más mínimo!

—¿En serio?

—En serio.

—Está bien, te creo.

Nos abrazamos y me da un beso en la cabeza.

Guau, siempre pensé que tener novio sería un sueño hecho realidad, pero no esperaba que fuera tan complicado. De todas mis complicaciones, un noventa y nueve por ciento están relacionadas con este chico.

Decidimos echarnos una siesta y caigo en un sueño ligero y febril. Sueño que estoy en un parque con mi bisabuela Camilla, a quien nunca llegué a conocer, y vemos pasar a Jackie y a John F. Kennedy en un coche negro y alargado con grandes ventanas abiertas. Nunca pienso en mi bisabuela, ni siquiera sé mucho sobre su vida, pero supongo que está en algún lugar de mi subconsciente. A veces el cerebro humano es demasiado raro e insoportable. Cuando me despierto, Alexei ya no está en la cama, así que bajo a buscarlo. Está en la mesa de la cocina con su *laptop*, escribiendo un correo. Me acerco por detrás para poder taparle los ojos y darle un susto, pero antes miro por encima de su hombro y veo que el mensaje va dirigido a una tal Staci.

Seguro es una evidencia científica que alguien que se llama Staci es en un 99% de los casos la mujer con la que te engaña tu chico.

—¿Quién demonios es Staci? —salto.

Se da la vuelta más asustado que sorprendido.

—¡No es nadie! Calmate, Lele, ¡no es nada! —Me toma de las muñecas para someterme, como si fuera una especie de animal rabioso.

—¡No me da la gana de calmarme! ¡Sabía que te gustaban otras chicas, y esta es la prueba definitiva! —Me escapo de sus manos—. ¡Me llevo esto, idiota! —Le quito la *laptop*, la cierro y la aprieto contra mi pecho. Luego salgo corriendo por la ventana de la cocina mientras la casa se incendia, muy a la *Misión Imposible*.

—¿Por qué tienes que ser siempre tan dramática? —me grita Alexei mientras corre tras de mí.

Me despierto sobresaltada y sudando.

—¡No, no! —grito agitando los brazos.

—¿Qué te pasa? ¿Estás bien? —Alexei me mira preocupado.

—Ay. —Parpadeo para reorientarme, no sé dónde estoy—. Ah, fue un sueño. Solo un sueño.

Uf, será mejor que ordene las ideas rápido o acabaré haciendo algo terrible.

42

Esa amiga que siempre quiere llegar elegantemente tarde / Cuando alguien pronuncia mal tu nombre (9 000 000 SEGUIDORES)

Okey, no soy la chica más emocionalmente estable del mundo, pero soy famosa en internet y eso es algo muy grande. Quiere decir que esté loca o cuerda, la gente quiere salir de fiesta conmigo. Y parece ser que no gente cualquiera, sino los de Nickelodeon. Así es, me invitaron a una fiesta que organiza Nickelodeon en South Beach y es tan exclusiva que ¡no me dejan ni llevar a un acompañante! O es muy exclusiva o no soy tan importante en la vida real como en mi cabeza. En cualquier caso, Lele va sola esta noche.

Siempre he sido una súper fan de Nickelodeon. Al crecer en los noventa y los dos mil tenías que escoger tu bando: equipo Nick o equipo Disney, y yo siempre escogí el primero. No me malinterpreten, me encantaban las películas originales de Disney Channel, *Lizzie McGuire* y *Raven*, pero ningún programa de Disney podía competir con *¡Ey, Arnold!*, *Rugrats*, *Todo eso y más*, *El show de Amanda*, *Drake & Josh* y, no lo olvidemos, *Bob Esponja*, a quien adoro. Si eres un joven de los noventa te acordarás de cuando Disney adquirió la serie de Nickelodeon *Doug* y la transformó por completo: los pantalones de Doug se volvieron más anchos y Roger pasó de pobre a rico y Connie estaba más delgada y Skeeter traía otra camisa y el tema inicial era totalmente distinto. Bueno, si no eres un chico de los noventa no te sonará tan terrible, pero créeme, fue algo traumático.

Como yo soy una chica de los noventa y una chica Nickelodeon, es absolutamente necesario estar despampanante en la fiesta de hoy. Porque ya sé que les encanta que les suelte mis discursos y porque puede que alguna vez se encuentren en una situación parecida, aquí van quince simples pasos para estar ad hoc para una fiesta de gala de Nickelodeon:

1. Haz una rutina de ejercicios de cuarenta y cinco minutos (para que tus brazos y abdomen se vean bien torneados).
2. Date un baño bien largo (y usa exfoliante en todo el cuerpo para que tu piel luzca suave y radiante).
3. Depílate (tómate el tiempo necesario de eliminar todo el vello sobrante de tu cuerpo. Ve poco a poco y presta mucha atención, porque incluso el más pequeño descuido podría restarle puntos a un *look* perfecto y no es plan que aparezcas con tiritas).
4. Sécate el pelo con secador (haz que esos enredos se conviertan en preciosos mechones dorados).
5. Alísate el pelo (elimina cualquier imperfección. No tengas piedad).
6. Rízate el pelo (¿para qué te has alisado el pelo si ahora te lo vas a rizar? Si tienes que preguntarlo no puedo ayudarte, amiga).

7. Ponte un poquito, muy poquito, de *spray* (que esos rizos se queden donde deben).

8. Aplícate una base de maquillaje líquido sobre toda la cara (unifica todo el tono eliminando imperfecciones y rojeces, cualquier cosa que deje entrever que eres humana, vamos).

9. Ponte delineador (y difumínalo un poco para conseguir un efecto de ojos ahumados).

10. Ponte sombra de ojos de color bronce en los párpados (de forma gradual para que quede más clara cerca de la nariz y más oscura a medida que se aleja de ella. NO TE SALTES ESTE PASO O TE VAS A ARREPENTIR).

11. Ponte rímel (tus pestañas siempre son más cortas de lo que se supone que deben ser, créeme. Quieres que parezca que son como arañas atrapadas en tu cráneo y que tratan de escapar a través de tus ojos).

12. Aplica un labial rojo.

13. Quítate el labial con un pañuelo de papel para que parezca que no llevas nada (así parece que tengas los labios de color rosado de forma natural o que lleves días comiendo cerezas).

14. Escoge un *outfit*. (Este es, de lejos, el paso más difícil. Debes escoger algo con clase, pero divertido; sexy, pero sofisticado; impecable, pero sin esfuerzo. Es normal pasar más tiempo intentando dar con el conjunto perfecto que en la fiesta).

15. Tómate una selfie (para subirla a Instagram y que todos vean lo fabulosa que ha sido tu noche. Si no la subes a Instagram, ¿cómo van a creer que tu vida es más *cool* que la suya? Esta foto tiene que ser per-

fecta, así que es mejor tomar un par de docenas antes de elegir una, y además debes aplicarle filtros como si no hubiera un mañana. Ah, ¡y no te olvides de Snapchat!).

Ya está, ¡lo conseguiste! ¡Estás lista para asistir a una fiesta organizada por Nickelodeon! O a lo mejor no, pero te aseguro que yo sí.

Por desgracia, con toda esa preparación han pasado varias horas y cuando mi Uber me deja allí y tomo el ascensor para subir al ático, la fiesta ya ha acabado. ¿Pueden creerlo? Pasé tanto rato preparándome para la fiesta de Nickelodeon que ¡me la perdí! Nota mental y para los lectores: escoge cinco de los quince puntos del listado anterior y elimina el resto.

El ático está en Brickell Key y hay unas vistas espectaculares de toda la ciudad, que resplandece bajo nuestros pies. Camino por el departamenteo admirando el mármol y la plata y las cabezas de león mientras la gente sale dejando atrás un reguero de botellas y cigarrillos y diamantina. Parece que la fiesta ha sido increíble. ¿Por qué se habrán ido todos?

—Oye, ¿eres *Lili* Pons? —me pregunta alguien mientras me dirijo a la puerta.

Volteo y adivinen a quien veo: ¡a Josh Peck, de la serie de Nickelodeon *Drake & Josh*! Me quedo tan petrificada al verlo que casi se me olvida enojarme con él por pronunciar mi nombre mal. Casi.

—En realidad —digo—, es Lele. Tú eres Drake, ¿no?

Por un segundo se queda petrificado él también y luego se ríe.

—¿Estás intentando insultarme diciéndome que soy igualito que Drake Bell?

—Puede.

—¡Es ridículo! —Parece impresionado—. ¿La pasaste bien en la fiesta?

—Sí. Bueno, no, porque acabo de llegar.

—Qué pena. Estuvo muy bien.

—¿Por qué se acabó tan pronto? Solo son las once y media. Pensaba que a esta hora era cuando empezaban las fiestas.

—Así es, esto era solo una especie de prefiesta. Ahora nos vamos todos al Mondrian.

—Aaah, bueno, ahora lo entiendo.

—Deberías venir.

—¿Sí? ¡Sí, claro!

—Estupendo, Lele, vámonos.

Cuando estoy en la terraza de la planta superior del Mondrian, junto a la alberca, recibo un mensaje de Darcy:

Oye, ¿vienes o qué?

¡Mierda! Olvidé que le dije que saldría con ella después de la fiesta.

Estoy en una fiesta muy *cool* en el Mondrian. ¡Ven!

Luego meto mi celular en mi bolsa de Givenchy azul oscuro y pido un refresco con jugo de arándanos en el bar.

—¿Habías estado aquí antes? —me pregunta Josh bebiendo una Coronita.

No sé si es a causa de que la iluminación del *show* de Nickelodeon era horrible o por el hecho de que cuando veía *Drake & Josh* no había llegado a la adolescencia, pero hasta este preciso instante no me había dado cuenta de que Josh es bastante lindo.

—No, esto... No voy a muchas fiestas que no sean, ejem, del colegio. O algo así.

—Bueno, ahora estás aquí —me dice—. Salud.

Brindamos y miro la alberca de azul cristalino con letras negras en las que se lee Mondrian proyectadas sobre la superficie, la luz negra forma pequeñas olitas. «Sí, ahora estoy aquí», pienso. Espera, ¿es esto mi vida? ¿Es así como va a ser a partir de ahora? ¿Mansiones y hoteles de lujo y estrellas de Nickelodeon hablando conmigo en las fiestas?

Por primera vez empiezo a vislumbrar lo que significa todo esto. Mi nueva vida es emocionante y glamurosa, pero ¿qué pasa con la antigua? No puedo evitar sentir miedo, como si estuviera dentro de un autobús que se dirige sin frenos hacia un precipicio. «No pienses eso —me dice una vocecita en mi cabeza—, ¡mira dónde estás! Será mejor que empieces a mostrarte agradecida, porque si no, no tendrás que estar dentro de un autobús para caer por un precipicio, yo misma te tiraré por un barranco. ¡Te tiraré de esta terraza si hace falta para que despiertes!».

¡Uf! La vocecita de mi cabeza es bastante mala onda.

43

Cuando tu chico confunde tu nombre con el de otra / *Diario de una pasión* (9 000 230 SEGUIDORES)

*L*as cosas no van mucho mejor con Alexei. Al salir de Mondrian, tomo un Uber hasta su casa y me tira una escalera por la ventana para que trepe hasta su habitación. Pone un disco de Dashboard Confessional y empezamos a hacer cosas. Me meto tanto en el tema que casi creo que hoy podría ser «la noche», hasta que...

—Te quiero, Nina. —¿NINA? ¿Quién demonios es esa? Ah, espera, claro, su ex.

—¿Nina? ¿Estás bromeando? —Estoy muy pero muy enojada.

—¡No! Quería decir Lele, ha sido sin querer. Ya sabes que no significa nada. Es la costumbre. Estuve con ella tres años.

—Sí, ya lo sé. Es mucho tiempo, claro. Y seguramente todavía la quieres.

—No lo sé... No me lo había planteado.

—Me voy a casa —me vuelvo a poner la chamarra—, quiero estar sola.

—Pero ¿qué me estás contando, Lele? ¡Eres tú la que pasó toda la noche en una fiesta con otro chico! ¿Cómo crees que me siento con eso?

—No me gusta ningún otro, y cuando estoy con alguien me esfuerzo por aprenderme su nombre.

Y con esto, bajo de nuevo la escalera. Ya sé que suena muy dramático, pero tienen que entender que, si me hubiera quedado, las cosas se hubieran puesto aun más feas. Deberían estar orgullosos de mi autocontrol.

Durante un momento estoy a gusto acurrucada en mi cama después de una noche muy larga, pero cuando me duermo, las pesadillas vuelven a empezar:

Estoy colgada de un puente sobre aguas turbulentas que se agitan incesantemente bajo mis pies. Lo único que me sostiene es la mano de Alexei, a la que me aferro como a la vida misma.

—¡No quiero morir! ¡No quiero morir! —grito mirando hacia el agua, que parece estar a cientos de metros de distancia.

—No te preocupes, Nina, no te dejaré caer. —Niiinaaa, Niiinaaa, Niiinaaa. El nombre hace eco una y otra vez y se funde con el sonido del agua salvaje.

—¿Nina? —lo riño—. ¡Ni de broma! —Y con estas palabras, como por arte de magia, cambiamos de posición: él está colgando del puente y yo sujeto su mano.

—¡No significa nada! —suplica—. ¡Ya sabes que solo te quiero a ti!

—¡Es demasiado tarde! —digo soltándolo.

—¡¡Lele, noooooo!!

Cae y cae y cae. La visión de Alexei dirigiéndose al fondo del río me rompe el corazón. Desearía poder salvarlo, pero, como he dicho, es demasiado tarde.

La escena cambia como siempre pasa en los sueños, tan rápido y borrosamente que no sé donde acaba una y empieza la otra. Ahora, Alexei y yo estamos de pie en un muelle bajo una tormenta; es como en *Diario de una pasión*, solo que en un entorno contemporáneo, casi de ciencia ficción.

—¡Llevo siete minutos esperándote! —grito, empapada de la cabeza a los pies.

—¡Y yo te he tuiteado cinco veces!

—¿Me tuiteaste?

—No habíamos terminado —se lamenta con los puños apretados.

Aliviada y exhausta, me inclino para besarlo. Con un beso, todo este caos y este dolor habrán acabado.

—No habíamos terminado —repite—. Pero ahora sí. —Se aleja en el último segundo y en lugar de besarlo caigo de cara sobre un lago helado.

Cuando despierto, me late el corazón a cien por hora y tengo náuseas. Hay algo que no va del todo bien en mi cabeza, no había estado tan ansiosa en toda mi vida.

44

Cómo pelearte con tu mejor amiga (9 400 000 SEGUIDORES)

El lunes en clase de inglés, Alexei está distante y un poco frío. Me saluda con un beso más cerca de la mejilla que de los labios, aunque no sé si eso cuenta como beso. Pero al menos me saluda, porque Darcy, ni eso.

—Oye, Darcy, ¿qué pasa?

Sale disparada tan pronto suena el timbre, pero consigo atraparla.

—No sé, Lele, dímelo tú. —Sigue caminando.

—Baja un poco el ritmo. ¿Adónde vas con tanta prisa?

—A clase, y tú también deberías, ¿no?

—Deja de caminar tan rápido, ¡quiero hablar contigo! ¿Por qué te comportas así?

—De acuerdo, ¿quieres hablar? —Se detiene de golpe—. Me dejaste colgada el viernes.

—¿De qué hablas? Eso es mentira. —¿O será verdad? No me acuerdo muy bien de lo que pasó en el Mondrian, así que no sé qué hice o dejé de hacer.

—Teníamos planes para después de la fiesta VIP, ¿no te acuerdas? Pero no apareciste. Ni siquiera tuviste la decencia de decirme que no vendrías, simplemente me ignoraste. Te mandé un mensaje para asegurarme de que estabas bien ¡y ni me contestaste!

—Espera, eso no es cierto —me defiendo, recordando—, te contesté y te dije que vinieras al Mondrian. Que era donde yo estaba. Pero luego no me escribiste.

—No me llegó —dice fríamente.

—Espera. —Saco el teléfono y abro el chat con Darcy—. ¡Mira! —Se lo enseño—, ¡te escribí, pero no se envió! ¡Aquí tienes la prueba!

—Genial, la próxima vez asegúrate de darle a Enviar. Es la parte crucial de un mensaje, ¿sabes?... —Se voltea y se aleja.

—¿Sigues enojada? Intenté que nos viéramos, siento que no saliera bien.

—De verdad que no lo entiendes, ¿eh? Teníamos planes. Y los olvidaste porque te invitaron a hacer algo mejor. Lamento no ser tan *cool* como tu pandilla de viejas estrellas de Nickelodeon, pero a los amigos no se les trata así. Ya sé que te crees que ahora que eres famosa la vida es de color de rosa, pero aún tienes que mantener tus promesas, eres humana, ¿sabes? No eres invencible y no puedes ir por ahí haciendo lo que se te dé la gana solo porque ahora tienes dinero.

—¡Guau! Eso es muy injusto. Creo que te pasaste. Fue un malentendido, y solo ha pasado una vez, y me estás atacando como si lo hiciera a todas horas. Relájate un poco, no es mi culpa si tú no te sientes lo suficientemente *cool*. Y tampoco estás siendo tan buena amiga, ¿qué tal si en vez de estar celosa y amargada intentas alegrarte por mí? Eso es lo que haría una amiga de verdad.

—Estás tan obsesionada contigo misma que de verdad no ves que lo que hiciste estuvo mal. La fama se te subió a la cabeza y ya no te reconozco.

—¿Y qué se supone que debía hacer? ¿Seguir siendo una *loser* toda la vida?

—Ah, ¿así que los que no somos famosos somos *losers*?

—¡No dije eso! ¡Estás fuera de control!

—¿Te cuento cómo me siento y dices que estoy fuera de control? ¡Vete al infierno, Lele!

—¡Zorra!

Parece como si nos hubiéramos cacheteado la una a la otra. Con un resoplido nos damos vuelta y caminamos en direcciones opuestas.

«Qué perra tan loca», pienso para mis adentros mientras me dirijo a clase de historia. ¿Cree que puede evitar que la pase bien y que viva mi vida? No tiene ningún derecho. No es mi madre: no le debo ninguna explicación. ¡Y cómo me ha atacado! ¡Ni me dio la oportunidad de defenderme! No es justo, esta es la época más importante de mi vida y está intentando hacerme sentir mal, ¿no? Porque... es la mejor época de mi vida, ¿verdad?

En clase de historia miro por la ventana y pienso en la fiesta del viernes y en lo asustada que me sentí. He sido catapultada a un nuevo mundo y de alguna forma me veo obligada a dejar mi antigua vida atrás. Pero no quiero hacerlo, no quiero ser así. Me siento sola. Y supongo que Darcy debe de sentirse igual al ver a su amiga hacerse famosa. Si estuviera en su piel me asustaría que mi amiga se olvidara de mí. ¿Es así como se siente Darcy? ¿Es por eso por lo que reaccionó de forma tan exagerada? Aunque, pensándolo bien, ¿fue una reacción exagerada? Para ser sincera conmigo misma, creo que yo habría reaccionado igual. Debí tomar en cuenta sus sentimientos. Si la gente se enojara conmigo cada vez que me salgo de control, no me quedaría nadie.

En cálculo, Darcy me ignora. Saca su libreta y su lápiz azul brillante y escribe atenta como si le diera igual que estemos peleadas. No, peor, como si ni se acordara de que tenía una amiga llamada Lele. ¿Estamos en una versión alternativa de la realidad en la que Darcy y yo no nos hemos conocido nunca?

—Darcy —susurro por encima de su hombro—. Lo siento, ya sé que la cagué. Déjame compensarte.

—Shhh —se voltea y me hace callar—. Estoy intentando concentrarme. Necesito estos apuntes.

—¿Podemos hablar después de clase?

—No. No voy a saltarme clases para que sigas con tus dramas. Al contrario que tú, yo sí necesito buenas notas si quiero tener un futuro brillante.

¡Auch! ¡Qué fría! ¡Me quemo! No sé cómo puedo sentir frío y quemarme a la vez, pero sucede. «Pues bueno, Darcy, no te necesito, tengo otros amigos», me digo para convencerme, pero sé que si pierdo a Darcy será mi primer gran fracaso como humana. ¡Glups!

Después de cálculo, me salto la clase de educación física. Estoy demasiado avergonzada como para aparecer por allí, así que me voy a la parte de atrás del edificio de lenguas, donde hay un agujero en la valla lo suficientemente grande como para escabullirse y correr calle abajo hasta Starbucks, donde me bebo un Frappuccino de caramelo para mitigar el dolor. ¿Puedo no volver jamás? ¿Irme al bosque y vivir con los lobos? Por favor, Dios, haz cualquier cosa para que olvide que soy una amiga pésima y que me he convertido en una persona totalmente obsesionada con sí misma. Ah, ya sé, me haré monja y me arrepentiré de mis pecados. No puedo evitar preguntarme cómo se han salido tanto de control las cosas. Estoy consiguiendo que Alexei se aleje de mí; estoy descuidando mi amistad con Darcy. Todo es un caos, y es mi culpa. A lo mejor es cierto que la popularidad me está cambiando, me está convirtiendo en alguien en quien no quiero convertirme. No quiero ser el tipo de chica que deja que se le suba la fama a la cabeza, ¡solo quiero ser la Lele de siempre!

Tan pronto el reloj marca las 12:58 (una hora un poco rara para comer, en mi modesta opinión), corro de vuelta al campus para buscar a Darcy. Para cuando llego estoy toda sudada y sin aliento, y con el pelo hecho un asco, pero me da igual. Sé que si tengo que arreglar las cosas voy a tener que esforzarme mucho, hacer un gran gesto. Así que pongo mi gran disposición para el dramatismo a trabajar.

—Darcy —digo jadeando y cogiéndola del brazo como si fuera un zombi—. Lo siento mucho. Todo esto es culpa mía. Tienes razón. Ser famoso es una tontería; no creo ni que quiera serlo. Sobre todo si se va a interponer entre nosotras. Gracias por haber logrado que me diera cuenta de que me estoy comportando de forma extraña. Me he sentido muy rara, pero sigo siendo la Lele de siempre. ¡Mira, te lo voy a demostrar! —Saco un plumón negro de mi mochila.

—Lele, ¿qué demonios haces?

—Te voy a demostrar que sigo siendo la de siempre y que no me importa nada la fama o ser *cool*. —Tomo el plumón y me dibujo un círculo alrededor de un ojo. Por un segundo parece que va a intentar detenerme, pero luego simplemente se me queda mirando muda y sin moverse, mientras me pinto el ojo hasta que lo tengo rodeado de negro—. ¿Ves? —Darcy se ataca de la risa.

—¡Estás mal de la cabeza!

—Sí, ¡como siempre!

—¿Por qué un ojo negro? ¿Se supone que representa algo? —La intelectual de Darcy siempre buscando el simbolismo de las cosas.

—¡Soy un pirata! ¿Recuerdas? Como el primer día de clase, cuando me dejaron el ojo morado y todo el mundo se pasó el día burlándose de mí porque parecía un pirata.

—Me suena.

—¿En serio? ¡Pensaba que había sido un día súper importante y que todo el mundo se acordaría! Okey, a lo mejor sí estoy obsesionada conmigo misma.

—No tanto.

—¿Entonces me perdonas?

—Sí.

—¡Bieeen! —Salto arriba y abajo y la abrazo hasta que dice que no puede respirar.

—¿Quieres que vayamos al baño y te ayudo a quitarte eso de la cara?

—No, me lo quedo.

—¿De verdad?

—Sí, me lo dejo el resto del día.

—¿Para demostrar que te da igual no ser *cool*?

—Para demostrar que no soy *cool*.

—A mí me parece que sí lo eres —me dice.

—¡Oooh! ¡Y tú también! Ahora deja de decir estas cosas o me echaré a llorar.

—Los padres de Nick Kowel están de viaje y está organizando una fiesta pasado mañana, ¿vamos juntas? ¿Quieres mezclarte con gente no famosa?

—¡Me muero de ganas!

Bueno, en realidad no me muero de ganas, pero estaría bien pasar algo de tiempo de calidad con Darcy después de todo lo que sucedió.

45

Cómo se divertían los jóvenes antes vs. Cómo lo hacemos ahora (9 400 202 SEGUIDORES)

—*H*ola, mamá, ¿qué hay? —pregunto apareciendo en la sala de estar donde mi madre está leyendo la revista *People*—, ¿qué tal te trata la noche?

—Okey, Lele, ¿qué quieres? —Deja la revista y levanta una ceja al mirarme.

—¿Que qué quiero? Nada, no quiero nada.

—Muy bien, ¿puedo seguir leyendo la revista?

—Bueno, vale. Quiero ir a una fiesta con Darcy hoy.

—¿Y? Vas a fiestas todo el tiempo. Pensaba que habíamos decidido, no, espera, que habías decidido que no tenías que pedirnos permiso.

—Ya, ya lo sé, pero es que estaba pensando que... Siento no haberlos dejado hacer su trabajo de padres últimamente. Es que no quiero que nada se interponga en mi carrera, pero ahora necesito dar un paso atrás y darme cuenta de que todavía soy una niña y que mis padres siguen siendo mis padres. Tengo toda la vida para ser adulta.

—Ay, Lele. —Salta del sofá y me abraza—. Gracias a Dios que tienes una buena cabeza sobre los hombros. No estamos preocupados por ti, siempre has hecho las cosas a tu manera. Sigues siendo esa chiquilla independiente de Venezuela, inventando sus propias reglas. Estamos orgullosos de ti.

—¿Eso quiere decir que no tengo que ir a la universidad?

—Quiere decir que confiamos en ti y sabemos que tomarás la mejor decisión para tu vida y no para contentar a nadie.

—Bueno, ahora finge que me das permiso para ir a la fiesta.

—¿Qué? ¿Por qué? ¡Estás loca!

—¡Para que me sienta como una chica normal!

—Lele —dice con voz severa—, ¿creías que podías ir a la fiesta sin preguntar?

—No, mamá, ¡juro que te lo iba a decir! Mamá, ¿puedo ir a una fiesta con Darcy, por favor? ¡Volveré temprano!

—Bueno —suelta un suspiro falso—. Bueno, pues que se diviertan. ¡Y pórtense bien!

—¡Gracias, mamá, eres la mejor!

—¡Tú sí que eres la mejor! —Me guiña un ojo.

Ambas reímos y voy arriba a cambiarme, con un peso menos de encima.

Darcy me recoge alrededor de las ocho y nos dirigimos a casa de Nick Kowel, que está en una colonia a las afueras de la ciudad. Pienso por un momento en escribirle a Alexei para invitarlo, pero no me siento con tanta energía como para aguantar otra escena dramática. Estar con él solía ser divertido y fácil, pero ahora tengo que hacer un esfuerzo sobrehumano para no acabar discutiendo.

Cuando aparecemos, hay un montón de chicos deportistas con pinta de pertenecer a alguna fraternidad reunidos alrededor de una mesa cubierta con vasos rojos llenos de cerveza colocados en forma de triángulo. Siento ser un poco criticona, pero por lo que he podido comprobar, si te gusta jugar *beer pong* es que tienes la cabeza hueca. Que eres tonto, vaya. Yvette y su Séquito (seguimos sin encontrarles un nombre fijo) están en una esquina tomándose selfies y poniéndose más brillo de labios entre foto y foto.

¿Es esto todo lo que ocurre en las fiestas de los colegios hoy en día? A ver, tampoco es que el evento en el Mondrian fuera mucho más espectacular. A lo mejor para la Generación Z todas las fiestas son una variación del mismo tema: «parecer linda mientras te desmelenas».

Es muy frustrante. De niña, y por culpa de las películas que veía, una de las cosas que más ganas tenía de hacer cuando fuera mayor era asistir a fiestas. Las fiestas durante la Ley Seca de los locos años veinte celebraban el exceso y la rebelión, las fiestas disco de los años setenta celebraban la modernidad y el ritmo, ¿qué se supone que estamos celebrando ahora? ¿Celebramos algo?

Las fiestas de hoy parecen tratar sobre nada más que ignorar la mortalidad. ¿O abrazarla? Es difícil saberlo. Todo el mundo bebe demasiado y actúa temerariamente (yendo de un lugar a otro, agarrándose con desconocidos, experimentando con pastillas anónimas que Dios sabe de dónde salen) como si fueran invencibles, pero todo lo hacen en el nombre del «solo se vive una vez». Oigo mucho lo de «sal de fiesta como si no hubiera mañana», pero seguro que la gente no se comportaría de forma tan loca si fueran conscientes de que esas cosas pueden matarlos, ¿no?

Siento ponerme tan pesimista, es que estoy intentando entender las mentes tan limitadas de mis semejantes. Supongo que, al final, vivir como si no fueras a morir nunca y vivir como si fueras a morir mañana son dos conceptos bastante similares. En resumen: de todas las generaciones, a mí me tocó la que juega *beer pong*. ¿Y qué me dicen de esas botas peludas de colores fluorescentes que llevan todas las chicas? ¡Si parecen Sully de *Monsters, Inc.*!

—¡Lele! —Mi reflexión deprimente se ve interrumpida por el saludo de Alexei, que me pellizca la cadera—. No sabía que venías, supuse que estarías ocupada.

—No, no tenía plan y Darcy me convenció de que nos diéramos una vuelta, así que aquí estoy.

—Genial. Empezaba a pensar que no te vería nunca más.

—Ja, ja, muy gracioso.

—¡Alexei! —Es Yvette, que lo llama desde su esquinita de las selfies—. Se te ve muy sexy esa camisa. Pero, claro... ¡Ay, Dios, Lele! ¡No te había visto! ¡Uy! Mala suerte. —Se ríe y finge que ha sido una tontería de nada. ¿En serio?

Alexei está tan blanco como un fantasma, pensando seguramente que le voy a echar bronca. Pero no es culpa suya que Yvette sea una ligadora empedernida y una traicionera. Y lo más raro es que ni me importa, no sé si estoy demasiado cansada o que he madurado en el último día y medio, pero de repente entiendo que todo el mundo es como es, que no puedo cambiarlos, y que no pasa nada.

Como dijo una vez una gran y sabia mujer: déjalo, déjalo.

Poesía de verdad, qué quieren que les diga. Así que lo dejo.

46

Cuando te das cuenta de que extrañas el viejo Disney Channel (9 550 202 SEGUIDORES)

En el Uber de vuelta a casa, Alexei me mira de reojo, nervioso, como si creyera que en cualquier momento voy a atacarlo. Casi parece que va en un coche con una bomba de relojería en el regazo. ¡Dios! ¿Le doy miedo o qué? ¡Ni que fuera una novia dramática y psicótica! Okey, ya lo sé, tampoco he sido la persona más calmada del mundo en los últimos tiempos, y además, ¡no sabe que ahora soy una mujer madura y que he visto la luz! Soy una nueva Lele... ¿la 10.0 ya?

—Alexei, quiero que sepas que no estoy enojada porque Yvette estuviera coqueteando contigo, puedes parar de mirarme así ya.

—¿De mirarte cómo? No estaba...

—Como si te fuera a echar bronca. No es tu culpa que ella sea una buscona. Ya sé cómo es y sé que no la puedo cambiar. También sé que no te puedo cambiar a ti, así que perdón si lo intenté.

—No tengo la sensación de que hayas intentado cambiarme. Solo me da la sensación de que esperas que nuestra relación salte por los aires. No tienes fe en nosotros, y eso es muy... desalentador.

Activen las alarmas: ¡es hora de hablar de emociones! Al ser una chica, y bastante dramática encima, pensarán que se me da de maravilla el arte de expresar mis sentimientos, pero la verdad es que me aterra. Nunca he sabido expresar cómo me siento sin acabar llorando como una loca. Y una vez que empiezo a llorar es casi imposible detenerme, así que intento evitar la situación todo lo que puedo. Doy un profundo suspiro.

—Oye, mira...

El conductor se da cuenta de que la situación se está poniendo seria y sube el volumen de la radio. Cuando la gente aún iba en taxi, hubiera bastado con subir la separación entre los asientos delanteros y los traseros, pero los conductores de Uber no tienen eso y no pueden permitirse ese lujo (je, je, como si yo supiera algo sobre la época en la que la gente iba en taxi). Selecciona una emisora y, de todas las posibles, no es otra que RADIO DISNEY. No se me ocurre nada menos apropiado para el ambiente que se respira en este coche, pero Dios bendiga a este conductor de Uber, porque es exactamente lo que necesitaba. Después de contarles ese rollo de que yo siempre fui una chica Nickelodeon, debo confesar que hay una parte de mi corazón destinada a Disney Channel. Empieza a sonar la canción de *Raven* y me quedo pasmada; levanto la cabeza para escuchar la letra como si fuera el evangelio: no hay duda de que esto es una experiencia religiosa. No quiero que Alexei me vea así, pero no tengo opción, el espíritu me ha poseído. La canto de pe a pa.

Es tan Raven.
El futuro veo aquí...
Es tan Raven.
Misterio para mí...

¡Amén! ¡Amén! En serio, ¿alguien puede gritarme un buen amén? Alexei me mira perplejo y quizá hasta ¿un poco preocupado?

Para cuando acaba la canción tengo lágrimas cayendo por mis mejillas. Tener que enfrentarme a las emociones y sincerarme con Alexei, sumado al recordatorio de los días en que todo era más sencillo, me ha puesto muy triste. Y además, ¡Raven se expresa tan bien...! Intenta salvar la situación, pero siempre la acaba complicando... Ay, Dios, ¡cómo te entiendo, amiga, si tú supieras...!

No había oído esta canción desde que tenía once años. Provoca que una ola de recuerdos se aparezca en mi mente: comiendo helado de vainilla con chispas de colores en la playa; comprando ropa para la vuelta al colegio en Limited Too; soñando con que llegue el día en que vayamos a Disney World y luego yendo a Disney World y comprobando que todo es aun más mágico de lo que hubiera podido imaginar...

La ola de nostalgia se convierte en una ola de tristeza. La parte despreocupada de mi vida ha terminado y nunca podré regresar a un tiempo sin novios ni chicas malas ni fama ni presión, ahora solo puedo ir hacia delante, luchando por subir la cuesta arriba de por vida. O hasta que me muera al menos. Uf, ya me puse muy sombría. Lo siento, pero tienen que entender que el momento en el que te das cuenta de que tu infancia ha terminado nunca es muy feliz que digamos.

Pensaba que tener novio iba a ser lo más emocionante que me iba a pasar en la vida, y el hecho de que fuera alguien al que había deseado durante tanto tiempo lo hizo aun mejor. Pero quizá todavía no estoy lista. A lo mejor todo esto está sucediendo demasiado rápido. Yvette era mi enemiga y luego mi amiga y ahora es mi eneamiga, que es básicamente una amiga en la que no confías y que odias en secreto. ¿De verdad quiero esto en mi vida? ¿Es esa la clase de persona que quiero a mi lado? Este año escolar ha sido como una montaña rusa y me ha arrastrado con él haciéndome adoptar tantos nuevos roles y viviendo tantas nuevas experiencias que no he tenido tiempo de reflexionar. Todo lo que sucedió este año me escogió a mí, y no al revés. Creo que necesito parar un poco, volver a recuperar el control de mi vida, reevaluar lo que quiero y quién soy y en quién me quiero convertir. No puedo volver a ser una niña, pero eso no quiere decir que tenga que crecer de golpe.

—Siento que te hayas sentido desalentado —le digo a Alexei mientras el Uber se detiene ante mi casa—. Nunca he dudado de nuestra amistad. Ni por un segundo.

47

La reina de los *bullies*
(9 661 000 SEGUIDORES)

¿*S*e acuerdan del final de *Chicas pesadas* cuando el personaje interpretado por Lindsay Lohan habla de la siguiente generación de Divinas? Las aprendices de las chicas pesadas de primero que inevitablemente se convertirán en las chicas pesadas veteranas. Pues es real como la vida misma. Las aprendices de las chicas pesadas no son un mito, son una realidad, y ahora lo sé de buena fuente.

Es lunes (otra vez... ¿Por qué siempre vuelve a aparecer el lunes? Los lunes son como una enfermedad de la que no te puedes librar. Justo cuando crees que te curaste, allí aparece de nuevo) y estoy paseando tranquilamente entre la tercera y la cuarta clase. Pasear tranquilamente forma parte de mi nuevo plan de tomarme las cosas con calma, pararme a oler las rosas, vivir la vida siguiendo mis propias reglas, etcétera. Al pasar por el patio interior principal veo a un grupo de chicas de primero, todas con el pelo impecablemente planchado y con diferentes prendas ajustadas de color rosa, alrededor de una mesa como un puñado de miniprostitutas (otra referencia a *Chicas pesadas*, ya saben de qué va, ¿no?).

—O sea, en serio —dice una de ellas, obviamente la líder del grupo, con su pelo dorado y plataformas, sentada encima de la mesa—. ¿Quién sigue llevando lentes hoy en día? Por Dios, ¡cómprate unos lentes de contacto! ¡Haz un esfuerzo, respétate a ti misma! Lo que yo les diga, chicas, Morgan Blanchard es la mayor *loser* de esta escuela.

Las otras chicas se ríen y asienten con la cabeza. ¡Puaj! ¿De dónde sale toda esa crueldad? Paso por delante de ellas y se hace el silencio.

—Ay, Dios, Lele, espera un momento —dice la abeja reina, saltando de la mesa para seguirme—. Eres Lele Pons, ¿no?

—Sí.

—Solo quería decirte que eres mi mayor heroína, no puedo ni explicar lo que me encantan tus videos. ¡Y no puedo creer que vayamos al mismo colegio! —Estoy a punto de darle las gracias y seguir mi camino cuando se me ocurre otra idea.

—¿Ah, sí? ¿Cómo te llamas?

—Brooklyn —añade—, Brooklyn Miller.

—Ajá. Pues escucha, Brooklyn, si me admiras tanto deberías saber que yo nunca hablaría mal de alguien a sus espaldas. Eso que estabas haciendo tú ahora con Morgan, diciendo que es una *loser*; eso es muy cruel. No todo el mundo es tan fresa y guapo y rico como tú y tus amigas; que la gente sea diferente a ti no te da el derecho a criticarlos. Si acaso, eso solo muestra tus inseguridades y flaquezas. Si te sintieras bien contigo misma no te meterías con los demás. No hace mucho yo también era una *loser* como Morgan. La gente fue muy cruel conmigo, todo el tiempo, y no fue nada agradable. Ahora soy medio famosa o algo, y por eso me respetan, pero no he cambiado y no me gustaría hacerlo.

Soy muy simple y rara, y preferiría hacerme amiga de la *nerd* marginada que de las chicas que se burlan de ella a sus espaldas. Esas son las *losers* de verdad, y yo creo que tú estás por encima de todo eso.

Brooklyn está petrificada; aprieta los labios hasta que solo forman una fina línea. Su séquito está aterrorizado y la miran fijamente para ver cómo reaccionará tras mi retahíla, qué hará. No quería avergonzarla delante de sus amigas, pero hay chicas que necesitan que les lean la cartilla.

—Yo, eeeh, nunca lo había visto de ese modo.

—Bueno, es algo sobre lo que hay que reflexionar —digo. Y luego, al ver a Darcy, añado—: Tengo que ir a clase. Y supongo que tú deberías hacer lo mismo.

Yvette se mete casi entera en su casillero mientras se cambia. Parece que tiene algo que esconder y me evita.

—Yvette, eres mi contrincante en tenis, así que no me vas a poder evitar para siempre.

—No estoy intentando evitarte, no pienses que el mundo gira a tu alrededor.

—Okey, hablemos entonces.

—No sabía que había algo de lo que hablar.

—Coqueteas descaradamente con mi novio.

—Solo porque sea tu novio no quiere decir que te pertenezca.

—¿En serio? Eres mi amiga, no puedes intentar ligarte a mi novio.

—Yo tampoco te pertenezco.

—Bueno, ¿quieres que sea así? ¿Prefieres que volvamos a odiarnos?

—Dios. —Yvette suspira profundamente—. No. No es lo que quiero. Mira, lo siento. La verdad es que hace tiempo que me gusta Alexei, desde antes de que tú y yo fuéramos amigas. Siempre vi que le gustabas tú y eso es lo que me ponía tan celosa. Bueno, eso y que estaba claro desde el primer día que tú eras la chica más *cool* del colegio...

—¡Qué dices! Si me hacías sentir como una *loser*, te burlabas de mí por ser tan simple, ¿no te acuerdas? Me provocabas ¡y hasta me llamaste pirata!

—Sí, sí, ya lo sé, lo siento. Pero no era porque pensara que fueras simple o una pesada, era porque pensaba que eras independiente y única y un espíritu libre, sabía que no me ibas a seguir como las otras chicas, sino que me ibas a quitar el puesto de líder, y eso era una amenaza. Sí, eras rarita, pero tenías una confianza inquebrantable, y eso es lo primordial, incluso yo lo sé.

—¡Guau! Qué profundo... Y es muy valiente de tu parte que te hayas atrevido a admitirlo.

—Gracias.

—Entonces, ¿qué ibas a decir sobre mi novio?

—Ah, sí. Mira, siempre me ha gustado Alexei un poco, pero ya sabía que se gustaban, así que me quité de en medio. De vez en cuando tenía la sensación de que no iban a terminar juntos, así que lo volvía a intentar, pero nunca me ha hecho el menor caso. Desde que están juntos dejé de coquetearle, te lo prometo. Y he tratado de pasar página. Pero en la fiesta del Nick del otro día me había tomado seis cervezas y estaba muy borracha. Se me fue de las manos. Pero no tienes de qué preocuparte, porque creo que nunca te engañaría. Si acaso, de lo que tendrías que preocuparte más es de que yo no sea muy buena amiga. Al menos cuando estoy peda.

—Oye, no digas eso, me parece de muy buena amiga que me lo hayas contado todo. Eres lo suficientemente fuerte como para habérmelo confesado, es una cualidad que admiro muchísimo. No se me da nada bien la sinceridad y los sentimientos y todo ese rollo. Se necesita mucha fuerza. El hecho de que puedas ser honesta es señal de que eres una buena amiga. La amistad no es perfecta, siempre va a haber problemas, lo importante es cómo lidiamos con ellos. Y creo que tú lo estás haciendo muy bien.

—Muchas gracias, Lele.

—Y lamento que te guste Alexei desde hace tanto. Nunca pensé que acabaríamos saliendo; de hecho yo creía que le gustabas tú, siempre habla de ti y de lo divertida que eres. Creo que de algún modo sí le gustas. Me preocupa un poco que me deje por ti. No sé si es racional o totalmente disparatado, pero es una de las muchas MUCHAS razones por las que nuestra relación se está yendo al traste. Empiezo a pensar que estábamos mejor como amigos. Así que quizá vuelva a estar disponible pronto.

—¡No! ¡Nunca saldría con él después de esto! Las amigas son primero, ¿no?

—Sí, las amigas son primero.

Me salto la clase de gimnasia otra vez y me cuelo por el agujero de la valla de detrás del edificio de lenguas. Me tomo el resto del día libre. Necesito estar sola, retomar el contacto conmigo misma. Paseo por Fourth Street hasta la playa, me compro un helado de vainilla con chispas de colores. Me quito los zapatos y apago el celular y camino hasta el agua, saboreando la brisa marina en el pelo y la arena fresca entre los dedos de los pies y el azúcar de las chispitas deshaciéndose en mi lengua. Este año escolar me he centrado tanto en convertirme en la mejor versión de mí misma y en demostrarle a todo el mundo que sigo siendo yo que al final olvidé que soy humana, como todos. Y eso significa tener defectos, intentar hacerlo lo mejor que puedes pero equivocarte, y luego levantarte y volverlo a intentar. Ser humano significa decir «lo siento» y, a veces, incluso a ti misma. Así que lo siento, Lele, por estar tan obsesionada contigo que irónicamente he acabado por descuidarte. No, no estoy loca, solo estoy intentando encontrar algo de paz mental.

Me siento en la orilla y paso el dedo por la arena mojada. Me encuentro a gusto sola; sin Alexei, sin Yvette, y me atrevo a decir también ¿sin Vine? Solo estamos el océano y yo, y muchísimos marineros y sirenas mar adentro, pero me siento libre.

48

No soy buena con las rupturas / Cuando no sabes cómo terminar con alguien (9 700 000 SEGUIDORES)

*T*engo un claro recuerdo de una vez, cuando era pequeña, en la que Jill, una amiga de mi madre, durmió en nuestro sofá durante una semana porque había terminado con su pareja. Yo tenía unos cinco años y no sabía lo que era eso, así que mi madre me explicó que era cuando un novio y una novia deciden no estar juntos nunca más. A esa edad, cuando crees que los niños tienen piojos y son insoportables y malísimos, me alegré mucho por Jill, porque por fin era libre. Además, la semana que pasó en nuestro sofá me pareció la forma más divertida de vivir la vida. Tenía a gente que le cocinaba y le hacía la limpieza, gente que se compadecía de ella y que la quería y deseaba verla feliz todo el tiempo. Mi madre le hacía galletas, y juntas veían un montón de comedias románticas en la tele y le llevaba mantas y pañuelos de papel y la escuchaba y le masajeaba los pies y la consolaba cuando lloraba durante horas. Yo le hacía pulseras con un pequeño kit que tenía y montaba espectáculos de danza en la sala de estar para entretenerla. Hasta mi padre intentaba hacerla reír.

—¡Tengo muchas ganas de terminar con mi pareja cuando sea mayor! —le dije a mi madre un día mientras cenábamos.

—¿Por qué? —me preguntó riendo—. Qué cosas tan raras dices.

—¡Porque es muy divertido! Todo el mundo te trata genial y puedes dormir en las casas de un montón de amigos.

—Ay, cariño —a mi madre le parecía divertidísima mi forma de verlo—, no es exactamente así. La gente tiene que ser más amable contigo que de costumbre porque estás sufriendo mucho. Una ruptura puede ser una de las experiencias más espantosas y dolorosas del mundo.

Y tenía razón. Decidí que sería mejor tener a Alexei como amigo y no como novio, pero no puedo evitar sentir la tristeza del fracaso y de la pérdida. Además, ¿cómo demonios se supone que debes romper con alguien? ¿Le pasas una nota en clase en la que diga: «¿Crees que deberíamos romper? SÍ o NO». (Personalmente, creo que sería una opción). Ay, no, eso no está bien. Saco papel y pluma y me pongo a apuntar ideas.

Formas de romper con alguien cuando no sabes cómo

Tómate un día de descanso (di que estás enferma) para pensarlo bien. Decide que necesitas toda la semana libre. Sigue haciéndolo hasta que crea que has muerto o se olvide de ti por completo.

Pídele a su hermanita que lo haga por ti, incluso si es malvada. No podrá enojarse con ella por eso, así que al final todo el mundo sale beneficiado porque nadie acaba discutiendo a gritos.

Métete en un programa de protección de testigos: cámbiate el nombre y píntate el pelo, vete del país y no vuelvas nunca.

No hagas nada: tú sabes que terminaron y eso es lo que importa, ¿no? Je, je.

Dile a tu amiga que lo bese para poder econtrarlo engañándote y usa esto como excusa para terminar.

Hazle un pastel y escribe encima con merengue: «Se acabó». Para cuando lo lea ya estarás lejos.

¿Escribirlo en el cielo?

¿Ya mencioné abandonar el país?

¿Contratar a un sicario? (¿Muy oscuro?)

Sé una persona decente y madura y mantén una conversación con él, sin importar lo duro que te resulte.

Maldita sea, ¿por qué tengo que tener esta intuición que me dice lo que está bien y lo que está mal?

Tras la sexta hora de clase me entra una urgencia irrefrenable de salir corriendo hacia casa y meterme bajo las cobijas durante los próximos veinte o treinta años, pero me fuerzo a ir al casillero de Alexei, donde sé que me estará esperando. Cuando llego no está, y pienso que me libré del problema (¿a lo mejor es él quien huyó del país y soy yo la que no se enteró?), pero me quedo esperando para asegurarme, y al poco aparece, tan mono como siempre. «¿Seguro que esto es lo que quieres hacer?». La voz de mi cabeza siempre tiene que estar ahí metiéndose en medio. Sí, seguro. Si quiero conservar a Alexei como amigo, si quiero que las cosas vuelvan a ser como antes, si quiero volver a ser yo misma, esto es lo que tiene que pasar.

—Hola, Lele —dice con ojos tristes, como prediciendo ya lo que está por venir.

—Hola. Creo que tenemos que hablar.

—Sí, tienes razón. —Asiente hundiendo los hombros. De repente parece más un chico emo de dibujos animados que una persona real. Diosss.

Vamos caminando hasta mi casa, por el mismo trayecto que tomamos la primera vez que me acompañó hace unos nueve meses y muchos millones de seguidores. Bromeo con que si hubiéramos tenido sexo ese día, hoy podría estar dando a luz a nuestro hijo, pero no le hace gracia. ¡Estos hombres!

—¿De qué crees que deberíamos hablar? —pregunta.

—Oye, llevo todo el día dándole vueltas y todavía no sé cómo decirlo de la forma más correcta, si es que existe. Pero supongo que en resumen lo que quiero preguntarte es si no te parece que estábamos mejor cuando éramos amigos.

—¡Sí! Creo que sí.

—¿En serio? Uf, qué alivio. Yo también.

—Yo tampoco sabía cómo decírtelo. No quería herir tus sentimientos.

—¡Lo mismo digo! Bien, perfecto entonces —le digo.

—Perfecto. Pero ¿crees que podemos rebobinar y volver a ser amigos? —pregunta.

—No sé, no lo he pensado. Antes lo éramos... y si lo piensas bien, todo este tiempo no lo hemos dejado de ser, la única diferencia es que me he convertido en un monstruo melodramático con una obvia disfunción hormonal —digo frunciendo el ceño.

—Sí, bien visto; bueno, menos lo de la disfunción hormonal. A mí me gusta que seas tan... intensa. No me malinterpretes, no es lo más divertido del mundo estar con alguien tan... Olvídalo, no es lo que quiero decir tampoco. En lo que tienes razón es en que hemos seguido siendo amigos además de novios. Creo que para nosotros lo de ser algo más que amigos ha significado añadir un extra de romance y melodrama. Así que creo que sí, que podemos eliminar el romance y el melodrama y volver a ser solo amigos.

—Sí.

—¿Qué pasa? —Pone cara de preocupación.

—No sé, lo de solo amigos ahora me suena a poca cosa.

—Pues nada de eso. Creo que en nuestro caso, menos es más.

—A mí eso me suena a la típica frase que dice la gente para parecer lista, pero que en realidad es una tontería y no significa nada, y nadie es lo suficientemente valiente como para atreverse a decir, oye, estás diciendo una estupidez.

—Primero, eres muy graciosa, Lele, de verdad. Segundo, no es ninguna tontería. Quiere decir que algo que cueste menos esfuerzo puede ser mejor. Quiere decir que en nuestro caso, solo amigos significa mucho más de lo que parece por como suena.

—¡Aaaaaah! ¡Ya veo! Qué profundo todo.

—La única pregunta ahora es si todavía sentimos algo romántico el uno por el otro.

—No sé. —Me encojo de hombros, intentando quitarle peso al asunto.

—Pues yo estoy seguro de que sí.

—Okey, yo también.

—Entonces ¿soportaremos vernos con otras personas? ¿No nos pondremos celosos?

—Sí, nos pondremos celosos —digo—, pero nos comportaremos como adultos y lo aceptaremos. Los celos no serán nada comparado con poder seguir manteniendo la amistad.

—Así que lo que quieres decir es que no intentarás sabotear mi boda como Julia Roberts en *La boda de mi mejor amigo*, ¿no? Porque yo creo que eres capaz.

—Estás adelantándote a los acontecimientos mucho, mucho, ¿eh? No creo que nadie quiera casarse contigo.

—¡Mira que eres bruta!

Me pega sin fuerza en el brazo y yo lo empujo contra unos arbustos. Es como si fuéramos dos niños de preescolar intentando entender el mundo que nos rodea. Y me parece perfecto.

Mayo y junio pasan volando como una emocionante cuenta atrás para el verano llena de fines de semana en la playa y Vines y más Vines. Siempre hay algo desconcertante en la última semana de clase: el sol está bien alto, perfecto para pasar el día junto al mar, y sin embargo estamos metidos en el aula. A los profesores se les han acabado las tareas que mandarnos, pero insisten en seguir teniéndonos allí prisioneros. Hay una especie de tensión entre lo bien que podrías estar pasándola y lo que te estás perdiendo.

Así que nos pasamos el día firmando anuarios, pese al hecho de que vamos a volver a vernos las caras en dos meses, y el último día siempre hay una actividad especial, como un partido de *softball* de chicos contra chicas o algún otro juego. Este año, los de mi curso debemos participar en una carrera de relevos con globos de agua y preguntas acerca del contenido impartido durante el curso. Alexei, Darcy y yo jugamos una ronda antes de darnos por vencidos, ya no podemos esperar más a que empiecen las vacaciones, así que salimos corriendo por ellas.

—¡Oigan! ¡Vuelvan aquí! —grita la entrenadora Washington—. Bueno, da igual, es verano, ¡váyanse! —¡Sííí! Las vacaciones de verano siempre sacan lo mejor de todo el mundo.

#YOSOBREVIVÍALCOLEGIO

Tres meses más tarde

49

Cuando conoces a la nueva chica
de tu ex
(10 000 000 SEGUIDORES)

*C*uando le cuento a Alexei lo de mi lista de las diez formas de terminar con alguien cree que son para morirse de risa y que deberíamos adaptarlas al formato de una de nuestras obras de arte de seis segundos. Yvette y Darcy tienen la amabilidad de unirse a nosotros para convertir en realidad nuestras ideas. ¡Incluso la pandilla de Yvette se apunta al rodaje! Y lo mejor es que Darcy y yo ya les hemos encontrado un nombre: son las Lo Que Sea, porque, en serio, lo que sea, son tan poco importantes en nuestras vidas que no merecen ni que les prestemos atención.

El verano trae un montón de posibilidades y de libertad, todo es brillante y precioso y nunca me había sentido tan optimista. Pero hay una pequeña, ínfima grieta en la perfección de este verano, y tiene lugar alrededor del mes de julio. Bueno, sucede el 1 de julio a las 15:47, pero ¿a quién le importa? A mí no, desde luego.

Así que, como iba diciendo, son las 15:47 del 1 de julio y estoy tendida en la cama como una ballena varada sin ni una preocupación en el mundo cuando recibo una llamada de Alexei.

—¡Hola, *loser*!

—Hola, ¿qué tal?

—Aquí, relajándome. ¿Qué pasa?

—Quería... Es que prefería decirte esto antes de que te enteres por terceros. Conocí a alguien, se llama Lila y, bueno, es mi novia.

QUIETA, QUIETA. Espera, si no me estoy moviendo. ¿Qué se dice en una situación así?

—¡Guau! Pues qué... rápido.

Una nube gris cruza el cielo y empaña la espectacularidad de este verano.

—Ya, supongo que es un poco incómodo para ti; no pretendía conocer a nadie tan rápido, pero...

—¿Incómodo? ¡Por favor! ¿A quién le incomoda? Creo que es genial. Me alegro por ti, amigo, estoy muy feliz. —Me muerdo una cutícula hasta que sangra.

—¿En serio? Me preocupaba que...

—No tienes que preocuparte por nada. Estoy bien. ¿Por qué no iba a estarlo? Eres mi mejor amigo y conociste a alguien que te gusta de verdad, así que, ¡oye! ¿Por qué no vamos a cenar todos juntos? ¡Me encantaría conocerla!

—¿En serio? ¿Los tres solos?

—No, claro que no, los tres y... ¡Bryce!

—¿Quién es Bryce?

—Es un chico con el que me he estado viendo. No es mi novio ni nada, pero hemos salido. —En realidad, Bryce es un pesado que me ha estado insistiendo incansablemente para que salga con él pero a quien no le he dado ni cinco minutos.

—Ya veo. Okey, bien, ¿por qué no?

—Eso —digo—, ¿por qué demonios no?

Lila, ¡bah! Suena como Lele pero en corriente, pero A MÍ NADIE ME LO HA PREGUNTADO, SUPONGO.

Yo y mi bocota. ¿Por qué habré tenido que proponer que fuéramos a cenar? Ahora tendré que buscar el vestido perfecto y actuar como la versión más absolutamente perfecta de mí misma durante TODA UNA CENA. Además, tendré que pasar una velada con Bryce, a quien no tenía ninguna intención de conocer. Prepararte para conocer a la chica de tu ex es una de las tareas más complicadas de todos los tiempos. Así es como se procede:

Empieza temprano. Vete al spa a que te hagan un masaje, te exfolien y, por supuesto, te hagan *manicure* y *pedicure*. ¡No repares en gastos!

Vete de compras. Seguro encontrarías el conjunto perfecto en tu armario, pero ya te lo has puesto alguna vez. Si realmente quieres aparecer como la mariposa original y única que eres necesitarás algo nuevo. Repito, no repares en gastos. Tu apariencia es más importante en esta ocasión que en ninguna otra. Si apareces y la chica nueva va más imponente que tú, tu autoestima podría resultar seriamente perjudicada. El atuendo en cuestión debería ser relajado pero a la vez sofisticado: *jeans* con tacón bajito, una camiseta negra ajustada y una chamarra de cuero, por ejemplo.

Relájate. No quieres verte tensa y nerviosa, así que tómate una hora o así para desconectarte del todo. Ve algo de telebasura, date un baño, échate una siesta, vete a nadar, lo que te ayude a meterte en tu espacio mental de chica *cool*. Ese espacio consiste en estar tan relajada que nada pueda molestarte o preocuparte. Estás por encima de todo, flotando en una nube.

Busca una cita. Debería ser alguien a quien le gustes más que él a ti, alguien que te haga quedar bien y contribuya a tu aura de chica *cool* en lugar de destrozarla. Ya sabes, alguien atractivo que demuestre que eres un buen partido.

Y último, pero no menos importante, sigue los pasos del uno al catorce de la lista «Quince simples pasos para ponerse a la altura de una fiesta de gala de Nickelodeon» (véase el capítulo 42). ¿Recuerdas lo guapa que querías verte para esa fiesta? Pues aquí deberías estar y sentirte al menos tres veces más guapa todavía.

Si crees que estos pasos son demasiado estrictos o intensos es solo porque estoy intentando cuidarte. Y cuidarme a mí. Seguirlos te permitirá (y espero que a mí también) sentirte bien esta noche. Que Dios nos acompañe.

Bryce me recoge en un BMW azul metálico de 2006. Trae una polo que es casi del mismo tono y una gorra de beisbol puesta al revés en la que se lee Yankees o Dodgers o algo por el estilo, a quién le importa, es un equipo de beisbol, no hay duda, y eso es todo lo que necesitan saber. La polo no me molesta demasiado, pero la gorra sí, así que le pido que se la quite y la deje en el asiento de atrás, donde no pueda verla. Crisis superada. Por algún motivo, Alexei escogió el Olive Garden más cercano para salir, y esa es una crisis que simplemente no se puede superar.

Por otro lado, tienen una margarita de sandía sin alcohol muy buena. Siempre hay que mirar la parte positiva de todo.

Cuando llegamos, Alexei y Lila ya están sentados a la mesa. No se hablan ni se tocan, miran la carta fijamente, como si fuera el mapa de un tesoro que hubiera que descifrar, examinando los contenidos con los ojos entrecerrados.

—Les ahorraré el esfuerzo —digo—, no van a encontrar nada que quieran comer de verdad. —Escaneo a Lila de la cabeza a... hasta donde la mesa la corta: pelo largo y rubio, ojos verdes, chamarra de cuero. De acuerdo, es una versión un poco menos atractiva de mí misma. Si yo fuera aún Lele 1.0, ella sería Lele 0.5 (pero recordemos que yo ya voy por la versión Lele 10.0, sobre todo a nivel emocional, con todo el proceso de maduración que he vivido).

—¿Qué? —pregunta Alexei levantando la vista—. Ah, no, ja, ja —se ríe—, no está tan mal.

—Ya lo sé, lo decía en broma. —Se levanta, y Lila también, y no puedo dejar de pensar «¿Qué se supone que debo hacer ahora?», «¿Qué se supone que debo hacer ahora?», una y otra vez.

—Lele, ella es Lila. Lila, Lele.

—¡Hola! —dice con una sonrisa enorme e idiota, por lo que se la devuelvo imitada a la perfección—. He oído hablar mucho de ti, montones. —¿Montones? Si ya has dicho «mucho» no hace falta que añadas «montones». Es demasiado enfatizar la cantidad. Bah.

Entonces abre los brazos y ¿se supone que debo abrazarla?

Nos rodeamos la una a la otra en un abrazo que es más íntimo y oprimido de lo que hubiera querido nunca. Me abraza como queriendo decir: «No tengo ningún problema contigo», así que yo lo hago aún más como diciendo: «Y yo todavía menos». ¿Cuánto llevamos abrazándonos? ¿Por qué no me suelta esta chica? Es tan delgada y está tan en forma y huele a Herbal Essences y al último perfume de Marc Jacobs y lo que no necesito precisamente es tenerla estrechando toda esa perfección contra mí, es como si me la estuviera restregando. La combinación de celos e irritación es demasiado para mí, así que pierdo la cabeza: aprieto los brazos alrededor de su cuello más y más fuerte hasta que oigo un crac y cae al suelo, muerta.

Está bien, no, esto último no pasa, pero ¿siempre tengo que explicar las cosas tal y como sucedieron? A veces la verdad no es nada interesante... Y ahí es donde entra Vine. En Vine puedo reescribir la historia para hacerla como yo quiero, puedo recrear la realidad para que se acerque más a la visión que tengo en mi cabeza, dar una versión que trascienda lo mundano. Es mi patio de juegos, mi laboratorio, mi vía de escape y mi santuario.

—¿Cómo se conocieron? —Por desgracia, Alexei y yo preguntamos lo mismo en el mismo momento y nos pasamos unos segundos decidiendo a ver quién contesta primero. Insisto en que lo haga él.

—Nos conocimos en una fiesta. Bueno, eso se podría prestar a confusión. Nuestras hermanas son amigas, y ellas estaban en una fiesta. Lila fue a buscar a la suya cuando yo fui a buscar a Aya.

Aya: sabía que antes o después acabaría conmigo.

—¡Qué adorable! —dice Bryce arrancando un trozo de pan con los dientes.

En mi cabeza he sonreído y dicho algo amable, pero parece que en realidad no, porque Alexei pregunta:

—Lele, ¿estás bien?

—Sí, ¿por?

—Tenías la mirada perdida en un punto más allá de mi cabeza.

—¿Ah, sí? No, estoy bien. Genial incluso. Solo estaba mirando la, este, ese cuadro de ahí. Es... bonito.

Se voltean a mirar el cuadro, que no es más que la imagen pixeleada de una copa de vino.

—¿Esa? —pregunta Alexei.

—Sí, no me hagas mucho caso. Así que se conocieron en una fiesta infantil, genial.

—¡Sí! —dice Lila animada—. Fue muy curioso porque lo último que esperaba era conocer a un chico guapo en un cumple de niños de cuatro años, ¿no?

—Claro.

—¿Y ustedes dos?

—Pues —empieza Bryce— soy muy fan de los videos de Lele y...

—¡Ah, sí! Es verdad, que eres una súper *youtuber*, ¿no? —me pregunta Lila.

—No, viner. Pero bastante súper, tengo más de diez millones de seguidores. Aunque no tampoco es para tanto —le digo.

—Es bastante, en realidad —afirma Alexei—. Es impresionante.

—Bueno, un poco. —Finjo modestia pero de forma bastante obvia, así que está claro que sé lo genial que soy, pero no me gusta presumir.

—Bien, ¿y luego qué? —pregunta Alexei.

—Pues conocía a alguien que conocía a alguien que la conocía, así que conseguí su dirección de correo electrónico y le escribí diciéndole que era muy fan y... el resto es historia.

Podría asesinar a este hombre. Primero se ha saltado la parte en la que me pasé tres meses ignorándolo por completo, después ha hecho que todo suene como si fuera el acosador más asqueroso de todos los tiempos, y encima ¿por que empieza todas las frases con «pues»?

—¿No deberíamos ordenar ya? —sugiero—. Yo creo que deberíamos ordenar, sí.

La cena transcurre sin demasiados contratiempos. Es broma, es un horror, una insoportable combinación de aburrimiento y estrés emocional. Para cuando se acaba me duele la cara y el trasero de tanto apretar los dientes y estar en tensión. Justo cuando vamos a salir, Lila va al baño y Bryce contesta a una llamada, por lo que quedamos Alexei y yo afuera del Olive Garden, balanceándonos sobre los talones.

—Se ve muy simpática —digo esperando que suene real y no tan forzado como lo pienso.

—Sí. Es sencilla —me dice Alexei—, en el buen sentido de la palabra. Es agradable.

—¡Uf!

—¿Qué?

—No sé, agradable no suena muy emocionante.

—Ya, pero creo que necesitaba un descanso de tanta emoción.

—Supongo.

—Bryce parece divertido.

—No está mal, pero no es nada serio. A lo mejor estamos saliendo, no sé, ya veremos.

—Ya, nunca se sabe. ¿Estás bien? Te noto triste.

—Supongo que un poco. Cuando terminamos sabía que acabarías con otra, pero no pensé que tan rápido.

UN MOMENTO, ¿acabo de ser sincera acerca de mis sentimientos? ¿Sin gritar ni llorar ni hacer una escena? ¿Qué está pasando? ¿Me estoy muriendo?

—Sí pensé que te resultaría raro. —Suspira—. Pero oye, si es demasiado incómodo, puedo estar soltero un tiempo. Hasta que salir con otra gente nos resulte más natural a los dos.

—Alexei, eres un sol, pero como mi mejor amigo, quiero que seas feliz. Si tú no eres feliz, yo tampoco.

—¿En serio?

—Claro, idiota, cállate ya.

—Entonces, para que volvamos a ser amigos, ¿crees que deberíamos vernos más o menos?

—Más —digo—, sin duda, más. Más es más.

Darcy viene a casa y nos pintamos las uñas la una a la otra mientras vemos episodios de la versión original de *Beverly Hills 90210* y nos deleitamos con los modelos. Empiezo a quejarme de Lila, pero enseguida me callo.

—Bueno, mira, no importa —digo—, es una chica muy linda. Que sean felices para siempre.

—No sé si llegaron ya a ese punto, Lele.

—Bueno, pero a lo que me refiero es a que he madurado y estoy aprendiendo a aceptar la vida tal y como es. Deberías estar orgullosa de mí.

—Y lo estoy —dice sonriendo—. Y nunca me cansaré de tener una amiga que siempre me dice lo que debo sentir.

—Genial. Eso quiere decir que me aceptas como soy.

—Sí, claro. —Sonríe aun más.

—Pero en realidad, sé que te hice pasar por muchos problemas este año y, para compensarte, ¿sabes lo que vamos a hacer?

—¿Quiero saberlo?

—Te voy a dejar las uñas más bonitas que has visto en tu vida.

—¿De verdad?

—Sí. Espera y lo verás.

—Creo que con este morado básico estoy estupenda.

—Ese morado básico es eso, básico. ¡Por favor! ¡Deja que te las pinte para que queden fabulosas!

—Está bien.

Me paso la hora siguiente trabajando en sus uñas como si fueran una bomba que tengo que desactivar, como si fueran lo único en el mundo. Sobre una base morada pinto unas rayitas doradas y luego las cruzo en diagonal con plata. Pego cristales pequeños y brillantes en los rombos creados por las líneas y lo remato con una capa de esmalte transparente.

El resultado final es brillante y majestuoso y extraordinario y encantador y todo lo que querrías de un *manicure*. Hasta que pierdo el equilibrio y me caigo sobre Darcy, empujándola al suelo, donde todo el trabajo hecho en la mano derecha va a parar a la alfombra. Por un momento nos quedamos atónitas, mudas, petrificadas. Luego nos morimos de la risa, como locas, y me tiro al suelo y las dos acabamos boca arriba riendo y casi sin aliento, abandonándonos a la vida y a los pequeños giros y desvíos que toma.

—Tenemos que hacer un Vine —digo—: Cuando tu mejor amiga es la persona más chistosa del planeta.

—Genial —dice—, ¿tú crees que eso cabe en seis segundos?

—¡Vamos a intentarlo!

No pasan muchas cosas en seis segundos, no hay mucho que puedas hacer. No puedes escribir una canción ni leer un libro ni pasar un examen ni completar un *manicure* ni ordenar tu habitación. No puedes cocinar un menú ni pensar un plan ni aprender a manejar ni escribir una carta ni salvar el mundo. Pero este año aprendí lo que sí puedes hacer: despertarte, sentirte viva, enviar un mensaje, tomar un *shot*, hacer una amiga, enamorarte, ponerte en tu lugar, salvar una vida, provocar un cambio, dar una primera impresión, conseguir una segunda oportunidad... Y, lo más importante, puedes contar una historia. Solo necesito seis segundos para contar una historia y, mientras tenga eso, sé que estaré bien.

EPÍLOGO

Cuidado con las novias psicóticas (al estilo de *Blank Space*) (10 100 000 SEGUIDORES)

*N*ice to meet you, where have you been? / I could show you in-credible things. *Blank Space* de Taylor Swift empieza a sonar mientras bajo la escalera usando un elegante vestido negro palabra de honor. Y allí está esperándome mi caballero andante, un hombre guapo con unos ojos muy atractivos listo para sacarme por ahí esta noche. Taylor canta «te pareces a mi próximo gran error» cuando Alexei salta de detrás de mí. Puedo ver su reflejo en los cristales de la puerta principal, intentando avisarle a mi caballero. Hace una X con los brazos, levanta un dedo hasta su oreja y lo mueve en espiral utilizando el gesto internacional para decir «está loca de remate».

Cree que está siendo discreto, que no puedo verlo, pero se equivoca. ¿Intenta asustar a mis nuevos pretendientes? No lo creo. Con un gesto rápido levanto el puño y le doy un puñetazo. Cae al suelo y yo continúo flotando escalera abajo.

Alexei y yo estamos viendo nuestro último Vine, «Cuidado con las novias psicóticas», riéndonos a carcajadas sentados en el suelo de su habitación. Por lo que parece, a Alexei le gustan las reinas del drama: Lila pasó rápido de chica inocente a psicópata vengativa que espía tus mensajes. ¡Como yo! No digo que todas las chicas sean así, pero Lila y yo no somos las únicas.

Así que está soltero otra vez y las cosas empiezan a estabilizarse entre nosotros. En el transcurso de un año hemos pasado de extraños a admiradores, de admiradores a amigos, de amigos a amantes y a amigos de nuevo, y cada paso ha sido algo raro. Quizá siempre resulte raro, pero así es como somos, y a lo mejor estamos construyendo un nuevo tipo de relación, algo que no se ha visto nunca antes. Somos bastante innovadores, la verdad.

Y poniéndolo todo en perspectiva, parece que este año no fue el fracaso épico que prometía. Hice amigos, me enamoré, me hice famosa, me encontré a mí misma, me volví a perder y luego me volví a encontrar.

Y lo mejor de todo, sobreviví.

Te veo el año que viene, Miami High. Volveré.

AGRADECIMIENTOS

Lele

$\mathcal{M}$e gustaría darle las gracias a todos los que han formado parte de esta oportunidad tan asombrosa. Me gustaría darle las gracias a Melissa por su dedicación y paciencia al colaborar conmigo en este libro tan increíble; sin ella no hubiera sido posible. Me gustaría dar las gracias a Mark Schulman y a Richard Abate por creer en el proyecto y hacerlo realidad, y a Natasha Simons por su fantástico trabajo como editora. También me gustaría darle las gracias a Natalie Novak y a Jordan Berkus por su apoyo, y a Luke y a Logan por estar siempre ahí, y por supuesto a mis padres por su amor y apoyo incondicional. ¡Gracias a todos por ayudarme a cumplir uno de mis mayores sueños! Fue un honor trabajar con ustedes.

Melissa

$\mathcal{M}$e gustaría dar las gracias a mi equipo: Richard Abate, Rachel Kim, Zahra Lipson y a todo el mundo de 3 Arts y

Spilled Ink; a Natasha Simons, nuestra genial editora en Simon & Schuster; a mis amigos Margie Stohl y Rafi Simon, por todos esos días de salud mental; a mi familia: a mi siempre paciente e incansable marido, Mike Johnston, y sobre todo a nuestra hija Mattie, quien vio los videos de Lele conmigo una y otra vez y se convirtió en su mayor fan y fue la razón por la que me alegré tanto de llevar a cabo este proyecto. Y gracias en particular al Equipo Lele: Luis Pons y Anna Maronese, Mark Schulman y a la propia Lele por hacer que sea tan divertido trabajar con ella.

DESCUBRE TU PRÓXIMA LECTURA

Una chica común y corriente de Oregón.

Un hermanastro problemático y muy atractivo.

Mucha tensión y un amor desesperadamente irracional.